ILUSTRADORES
DE MODA
HOY

ILUSTRADORES
DE MODA
HOY

LAIRD BORRELLI

ACANTO

© 2001 Editorial Acanto, S.A.
Barcelona - Tel. 93 418 90 93

Título de la edición original: Fashion illustration Now
© 2000 Thames & Hudson Ltd, Londres

Traducción: Víctor Lorenzo
Fotocomposición: Nova Era
ISBN: 84-95376-25-3

Impreso en Italia

Catálogo de publicaciones en nuestra página web: www.editorialacanto.com

página 1
JORDI LABANDA
Hussein Chalayan
Guache sobre papel
AB Magazine, junio de 1998

páginas 2-3
ANJA KROENCKE
Técnica mixta sobre papel
Madame Figaro
9 de octubre de 1999

página 4
TANYA LING
Dries Van Noten
Técnica mixta sobre papel
Joyce (Hong Kong)
Verano de 1999

SUMARIO

INTRODUCCIÓN

Ilustradores de moda hoy se erige en testigo de la diversidad sin precedentes de la ilustración de moda de hoy. Cada uno de los veintinueve ilustradores que presenta ha contribuido al florecimiento de una profesión que, hasta fechas recientes, se considera en peligro de extinción.

El declive de la ilustración de moda puede rastrearse hasta finales de los años treinta, cuando *Vogue* empezó a sustituir sus célebres portadas ilustradas por otras fotográficas y se dio prioridad al cuarto oscuro en perjuicio de la mesa de dibujo. Sin embargo, la preferencia por la fotografía antes que la ilustración se hizo más acusada en los años cincuenta. Kenneth Paul Block, un ilustrador que inició su carrera en esa época, declara simplemente: «Empecé a hacer algo al final de su historia.» La periodista Sonia Rachline atribuye este desplazamiento del interés de la ilustración por la fotografía a un cambio drástico en la industria de la moda. Específicamente, empezó a cambiar el énfasis en la alta costura, que siempre había estimulado las colaboraciones entre artistas y diseñadores (Salvador Dalí y Elsa Schiaparelli, por

ejemplo), hacia la tecnología y el *prêt-à-porter* (lucrativo) cosido a máquina. La ilustración de moda empezó a considerarse preciosista y rebuscada en lugar de contemporánea, en comparación con la fotografía. Como explica Rachline: «no se busca el arte, se busca el realismo», es decir, la «realidad» de la fotografía. Progresivamente, los directores artísticos, que durante años consideraron la ilustración el medio estándar y esperado de presentar la moda, dejaron poco espacio, si acaso alguno, para la ilustración en sus planes (con pocas excepciones, notablemente el ilustrador de origen puertorriqueño Antonio). Desde la década de los sesenta hasta la de los ochenta, la ilustración de moda estuvo en declive. Sólo después de eso empezó a iniciar un período de renacimiento que ahora está floreciendo. Como dijo en una entrevista la ilustradora neoyorquina Tobie Giddio en 1999: «Ahora hay un "boom" con la ilustración.»

Para comprender mejor lo que está sucediendo en la ilustración de hoy, regresemos a la década de los ochenta y principios de los noventa, cuando el *boom* empezaba a echar raíces. Fue entonces cuando varias revistas empezaron a exhibir la ilustración, notablemente *Vanity* de Italia, que presentaba portadas de François Berthoud, y *Le Mode en Peinture* de Francia, además de *Interview* y *Details* de Nueva York, la primera con editoriales de moda ilustrados y la segunda con páginas finales de Ruben Toledo. Por otra parte, empezaron a reaparecer los anuncios ilustrados. Los más influyentes fueron los de Jean-Philippe Delhomme para Barneys New York, la puntera cadena de tiendas al por menor.

Jodie Shields, una periodista que escribía en *Vogue* en 1994, afirma que: «en todos los sentidos, [a Barneys] se le reconoce el mérito de ser el primero en el actual retorno de la ilustración». El lanzamiento de su pionera serie de anuncios tuvo lugar en 1993 y duró hasta 1996. Las ilustraciones de Delhomme iban acompañadas por ingeniosas citas de Glenn O'Brien: «A veces llaman a Broklyn la orilla izquierda» o «Fiona creyó que autoservicio era la historia de la vida de Víctor». Precisamente porque estaban ilustrados, los anuncios de Barneys conseguían parecer al mismo tiempo tranquilizadoramente pasados de moda y completamente nuevos. Después de estar ausente, incluso *démodé*, durante tanto tiempo, la ilustración de moda parece ahora de nuevo contemporánea y «aguda», aunque de un modo familiar, como hecho a mano. Más aún, los anuncios de Delhomme para Barneys eran la antítesis de la perfección aerografiada de las campañas con supermodelos y celebridades. Estaban pintados con guache, con su característico trazo suave y garabateado, y los personajes y prendas representados eran vagos y ambiguos. Sin embargo, de un modo casi surrealista, en el anuncio se incluían los créditos de vestuario, peluquería y perfumería.

La campaña de Barneys no era publicidad agresiva. Era chistosa. La gente era capaz de insertarse en los anuncios, lo cual hacía escribiendo para decir que se identificaba con los personajes

JEAN PHILIPPE DELHOMME
«A veces eres un movimiento artístico» (Givenchy).
Guache sobre papel. Anuncio, 1993. Cortesía de Barneys New York

PIET PARIS
Técnica mixta sobre papel
Man, junio de 1998

de Delhomme. Al mismo tiempo, la moda estaba cambiando: el romántico atractivo de invernadero de la moda de boutique fue desafiado por la calle. De pronto, las supermodelos fueron desbancadas por niños extraviados y la estética *grunge* sacudió el mundo de la moda durante al menos quince minutos. Calvin Klein lanzó cK, una fragancia unisex anunciada por personas «reales». El quivalente en moda de la fragancia unisex era la silueta andrógina y minimalista.

Las imágenes fotográficas que acompañaban a estos cambios de la moda eran directas y «a la cara», la antítesis absoluta de los anuncios de Delhomme. Eran transgresoras más que ambiguas, ágiles más que lánguidas. Este estilo fotográfico, citando a Nan Goldin, llegó a conocerse como «chic-heroico». Levantó un gran revuelo y despertó indignación. «Lo más puntero de la cultura pop», escribió Kurt Anderson en *The New Yorker*, «ha sido [definido por] una visión explícita del mercado de masas... ¿Que no vayamos hacia allí? Ya estamos allí.» Las explícitas imágenes del «chic-heroico» se publicaron por primera vez en revistas como *The Face*, que por sí misma ya desafiaba las convenciones tradicionales de corrección, belleza y modos de presentar la moda.

Finales de la década de los noventa fue un período de reposicionamiento. La moda se balanceaba entre el minimalismo de la era del espacio y la decadencia basada en lo retro, la moderación al estilo zen y el derroche de embellecimiento. El atractivo de lo retro puede ser escapista, alejado de lo explícito, pero también puede explicarse como una típica revisión milenarista del pasado. En el cambio de siglo se experimentó una proliferación de revistas, direcciones web, fanzines y otros medios de comunicación nuevos. Debido al número de títulos desponibles y a los vastos recursos de Internet, a toda nueva publicación o dirección web le resultaba difícil destacar. En consecuencia, los títulos nuevos empezaron a utilizar la ilustración para distinguirse.

Muchas de las publicaciones que recurrían a la ilustración de moda no eran, desde el punto de vista de la industria, «libros de moda», más bien eran libros «refugio», como *Wallpaper**, en el cual la moda se trata como una ampliación de las secciones de diseño y estilos de vida. Cuando en *WWD* le pidieron a Steven La-Guardia, director creativo de los almacenes Louis, de Boston, que identificara «el próximo bombazo», respondió: «las revistas [que] cambian para basarse más en el estilo de vida y la actitud que en el género». (Este énfasis en vivir a la moda ha sido adoptado literalmente por los diseñadores de moda, muchos de los cuales se están diversificando y participan en la creación de artículos para el hogar.) Por irónico que resulte, revistas de moda tradicionalmente

JASON BROOKS Macintosh, Adobe Photoshop, *Elle* alemana, 1998

femeninas como *Vogue* y *Harper's Bazaar* solían relegar la ilustración a las secciones no editoriales, casi siempre a la página del horóscopo.

Wallpaper* es una revista de diseño con el eslogan: «lo que te rodea». Hasta cierto punto, ha encabezado la actual recuperación de la ilustración. Richard Spenser Powell, un diseñador de *Wallpaper**, considera que la ilustración es una «extensión de la moda y lo que ésta puede mostrar». No obstante, para Donald Schneider, director artístico de *Paris Vogue*, la fotografía ofrece una especie de «servicio al lector» en una revista de moda: la gente quiere ver prendas de ropa reales (a pesar de las innumerables maneras existentes de manipular una fotografía, se sigue considerando «real»).

Sin embargo, si es una actitud o un estilo que necesita expresarse, la ilustración es un medio de comunicación igualmente eficaz. Y como se ha mantenido olvidada durante tanto tiempo, la ilustración parece fresca, como si fuera una «nueva forma de presentación», opina Spenser Powell, y añade que la reacción del lector ha sido extremadamente positiva. Ahora los títulos nuevos

–*Nylon, Citizen K International* y *Vogue Nippon*– se preocupan por contratar ilustradores. De hecho, la ilustración se utiliza a veces, según Delhomme, «como una rara [peculiar] alternativa a la fotografía de moda». La ilustración de moda es un arte en sí misma. Es una profesión con su propia historia (en evolución), sus propias convenciones y sus propias aplicaciones comerciales. «Un ilustrador, al igual que en Bellas Artes,» afirma Giddio, «puede crear una vasta gama de obras, desde los dibujos elegantes más clásicos hasta las formas abstractas más deconstructivistas» (como ella misma hace).

Los artistas que se presentan en *Ilustradores de moda hoy* trabajan con estilos diversos. De hecho, no todos ellos se definen a sí mismos como ilustradores de moda. Ruben Toledo no se define así, ni tampoco Delhomme, a quien Shields cita diciendo: «Nunca he afirmado ser un ilustrador de moda. Lo que me interesa es la gente.» Y Jeffrey Fulvimari se define como un «ilustrador comercial» cuyos personajes se «usan a veces en situaciones de moda». ¿Cuál es entonces la definición de un ilustrador de moda contemporáneo, o de la ilustración de moda contemporánea? Es una pregunta que me han formulado una y otra vez en el transcurso de la redacción de este libro.

La ilustración de moda trata principalmente de ropa, pero como dijo Mats Gustafson, no sólo «sobre el tejido». A diferencia del clásico figurín de moda, una ilustración de moda contemporánea es más que un «retrato de época» (en parte porque la fotografía puede mostrar la ropa con detalle). Una ilustración de moda capta la postura y la atmósfera, la actitud y el estado de ánimo de la figura vestida, sola o en un entorno o situación relacionados con moda. Lo hace explícitamente o sugiriéndolo. Una ilustración de moda es evocadora. Y aunque no lo sea de un modo visible, es tímida. Una ilustración de moda contemporánea relata –o reacciona a– la historia de la presentación de la moda, tanto en palabras como en imágenes. La moda es, después de todo, una ficción romántica que nos asombra, nos tienta y nos cautiva.

En *Ilustradores de moda hoy*, los artistas se dividen por estilos en tres grandes grupos: «sensualistas», «provocativos y sofisticados» y «tecnócratas». Cada una de estas categorías se define con mayor profundidad al principio de cada capítulo. Resumiendo, los sensualistas –Ruben Alterio, François Berthoud, Tobie Giddio, Mats Gustafson, Kareem Iliya, Tanya Ling, Lorenzo Mattotti, Piet Paris, Hiroshi Tanabe y Ruben Toledo– trabajan siguiendo la tradición de las Bellas Artes, con pinturas, tintas, grabados en linóleo y estarcidos. Para estos artistas, el proceso de elaboración de la ilustración es tan importante como el tema.

La segunda parte, dedicada a los traviesos y provocativos, presenta artistas cuya obra es figurativa y que emplean la caricatura y varios aspectos de las historietas gráficas para crear personajes y comentar la conducta humana. Como dice Robert Clyde Anderson de su obra: «Espero que transmita un poco de mi actitud hacia todo este mundo de la moda y el estilo: que es divertido,

JEAN-PHILIPPE DELHOMME
Comme des Garçons
Desfile masculino, París
Guache sobre papel
Colección del artista, 1998

estimulante y fascinante pero se toma demasiado en serio parte del tiempo.» Los artistas incluidos en este capítulo son: Robert Clyde Anderson, Carlotta, Amy Davis, Jean-Philippe Delhomme, Jeffrey Fulvimari, Kiraz, Anja Kroencke, Jordi Labanda, Demetrios Psillos, Maurice Vellekoop y Liselotte Watkins.

Ilustradores de moda hoy incluye además el estilo de ilustración más reciente, el arte generado por ordenador. Los artistas informáticos, o tecnócratas, suelen empezar con un dibujo, pero manipulan y transforman su obra en el ordenador, superando su boceto inicial. Incluso muchos ilustradores que prefieren medios más tradicionales reconocen en la tecnología informática la última frontera actual de la ilustración. El arte preparado para el ordenador es fácil de utilizar y transmitir a todo el planeta. Y, como me dijo Donald Schneider en una entrevista, «elimina todas las excusas». El arte informatizado puede cambiarse de color o tamaño simplemente pulsando una tecla. Los tecnócratas –Jason Brooks, Michael Economy, Yolo Ikeno, Maxine Law, Thierry Perez, Graham Rounthwaite, Kristian Russell y Ed. Tsuwaki– encuentran inspiración en fuentes tan diversas como Matisse y The Matrix, la animación japonesa y el pop art. Como grupo, su obra se distingue por

los medios tecnológicos con los cuales se elabora. Sorprendentemente, quizá, el interés por la moda y la tecnología relaciona la obra de los tecnócratas con un antecedente histórico, el figurín de moda, que también se producía mecánicamente.

Parte del atractivo de la ilustración de moda contemporánea es su condición de arte. Como muchos de los ilustradores de *Ilustradores de moda hoy* han reconocido, la gente anhela lo personal. Ya sea dibujada sobre papel o realizada con programas como Adobe Photoshop o Illustrator, la ilustración de moda refleja la presencia de la mano, lo cual puede ser reconfortante, sobre todo en lo que Glenn O'Brian describe como nuestro «mundo de celebridades, 24 horas al día, por 100 canales». Por añadidura, los ilustradores de moda crean fantasías. En definitiva, una ilustración de moda es verdaderamente, en palabras de Schneider, «un lujo visual».

MATS GUSTAFSON
Romeo Gigli
Acuarela y tinta sobre papel
Obra encargada por el diseñador, 1990

RUBEN **ALTERIO** FRANÇOIS **BERTHOUD** TOBIE **GIDDIO** MATS **GUSTAFSON** KAREEM **ILIYA**
TANYA **LING** LORENZO **MATTOTTI** PIET **PARIS** HIROSHI **TANABE** RUBEN **TOLEDO**

PRIMERA PARTE
LOS SENSUALISTAS

Pinturas, tintas, papeles, colores y texturas son los protagonistas de las ilustraciones sensualistas. El papel del ilustrador sensualista es ser fuerte y silencioso, como un *deus ex machina.* Parte del atractivo de este estilo es la silenciosa pero palpable presencia del artista, que se revela sutilmente en el trazo lánguido de un pincel o la marca irregular de un taco de madera, expresando a un tiempo habilidad y esfuerzo.

Los sensualistas se deleitan con los materiales y las técnicas de su profesión, explorando las posibilidades de su medio. Las obras de los diez artistas incluidos en esta sección son diversas y abarcan desde las impresionistas hasta las gráficas.

La fluidez y la transparencia relacionan la obra de Mats Gustafon, Kareem Iliya y Ruben Alterio. Los medios preferidos por Gustafson son la acuarela y la tinta, que aplica en velos transparentes de color que parecen superponerse. Sus dibujos a la acuarela se distinguen por su superfluidez y ligereza. Iliya trabaja con los mismos medios, pero utiliza campos saturados de color vivo que estallan e irradian del espacio en blanco. Alterio prefiere una paleta más oscura y «renacentista», con la que crea ilustraciones de múltiples estratos con pinturas al óleo rebajadas con aguarrás.

En contraste, Tobie Giddio explora la espectacular yuxtaposición de lo transparente y lo opaco. Combina tinta con acuarelas o películas translúcidas coloreadas, casi como si insertara vidrios de colores en vidrieras emplomadas. En el otro extremo se encuentra Lorenzo Mattotti, que utiliza acrílicos grasos totalmente opacos y glutinosos.

François Berthoud, Piet Paris y Hiroshi Tanabe emplean medios mecánicos para crear sus ilustraciones de moda. Las vistosas imágenes de Berthoud están hechas a menudo con linóleo. Las marcas de los bloques grabados impresas en el papel son crudas y provocadoras. La técnica de Berthoud recuerda también los antiguos métodos utilizados en la elaboración de figurines de moda, que se reproducían mecánicamente con tacos de madera y grabados, seguido por litografías coloreadas a mano y procesos fotográficos. Tanabe trabaja con tinta y luego manipula sus imágenes con métodos artesanales clásicos, de modo que, aunque su obra está dibujada, tiene el aspecto de una impresión de un bloque de madera tallado. Paris también empieza con un dibujo, pero luego crea estarcidos precisos. A continuación los recorta y pinta o colorea con un rodillo.

Tanya Ling y Ruben Toledo trabajan con un estilo más figurativo que el de los demás sensualistas. Las ocurrentes figuras de Toledo están dibujadas con un nítido estilo caligráfico a tinta, mientras que las líricas damas de Ling están creadas con técnica mixta que incluye pluma, tinta, acrílicos, maquillaje e incluso purpurina.

RUBEN
ALTERIO

Pintor e ilustrador, Ruben Alterio trabaja con un estilo rápido
e impresionista. Su interés se centra en la atmósfera, la
silueta y el movimiento. Con matizados colores renacentistas,
capta «sol y sombra» con pinceladas voluptuosas.

RUBEN ALTERIO
ARRIBA
Colección Donna Karan
Óleo y aguarrás sobre papel
Campaña publicitaria de Neiman Marcus, 1997

PÁGINA SIGUIENTE
Thierry Mugler
Óleo y aguarrás sobre papel
Campaña publicitaria de Neiman Marcus, 1997

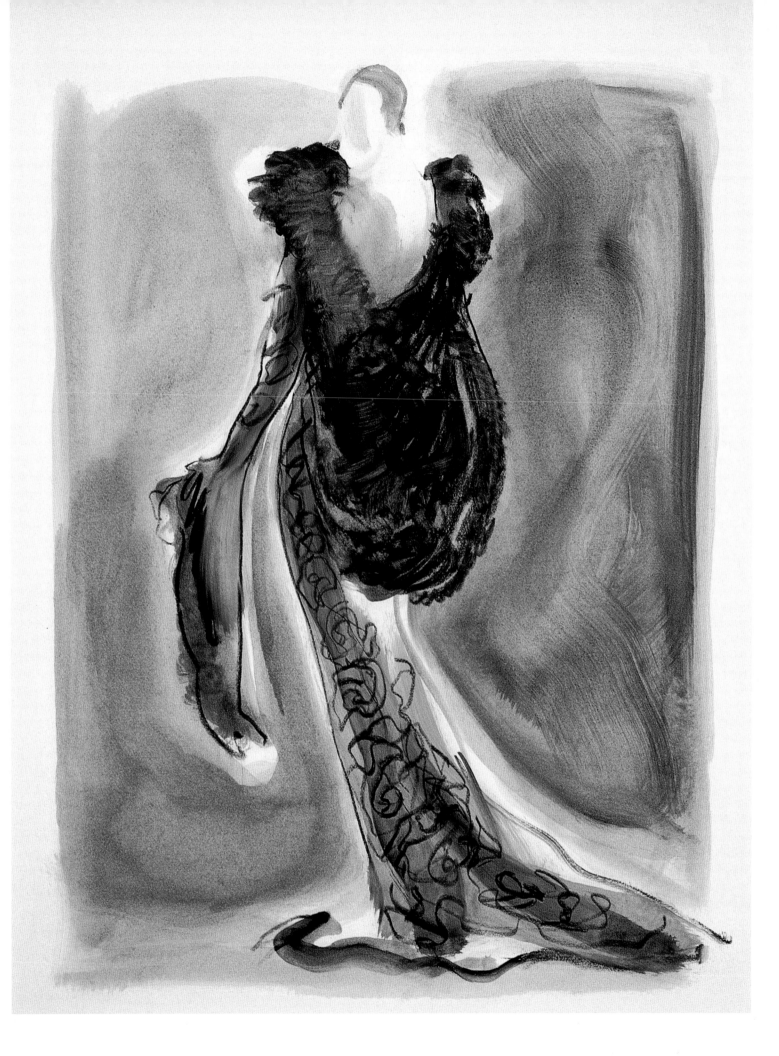

FRANÇOIS
BERTHOUD

François Berthoud utiliza técnicas de imprenta, especialmente
grabado con linóleo, que personaliza para expresar sus ideas.
Le gusta mezclar la cultura popular y la clásica para comunicar
«belleza, elegancia y estilo» con humor. Según Berthoud, la
ilustración no está reñida con la fotografía; antes bien, es
«otro lenguaje y por lo tanto cuenta otras historias».

Gucci
Monotipo, óleo sobre papel
Amica, 1998

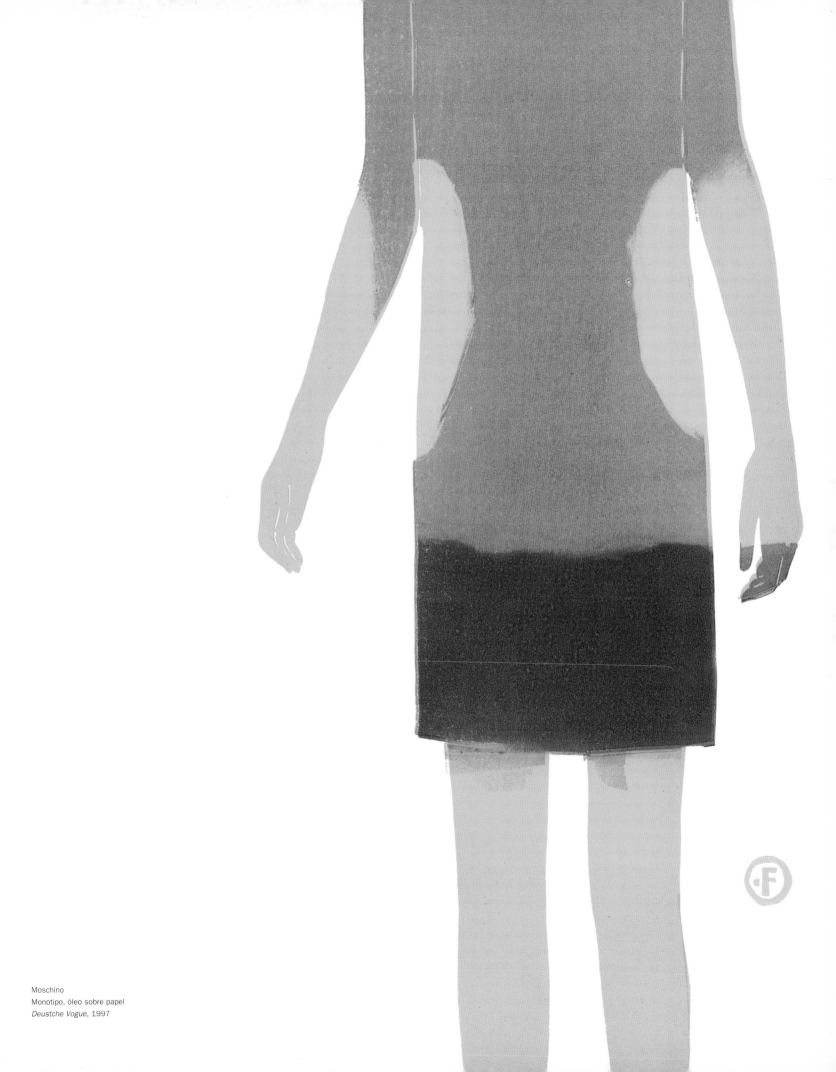

Moschino
Monotipo, óleo sobre papel
Deustche Vogue, 1997

FRANÇOIS BERTHOUD
Alexander McQueen
Monotipo, óleo sobre papel
Vogue Italia, 1998

PÁGINA SIGUIENTE
Versace Couture
Monotipo, óleo sobre papel
Amica, 1998

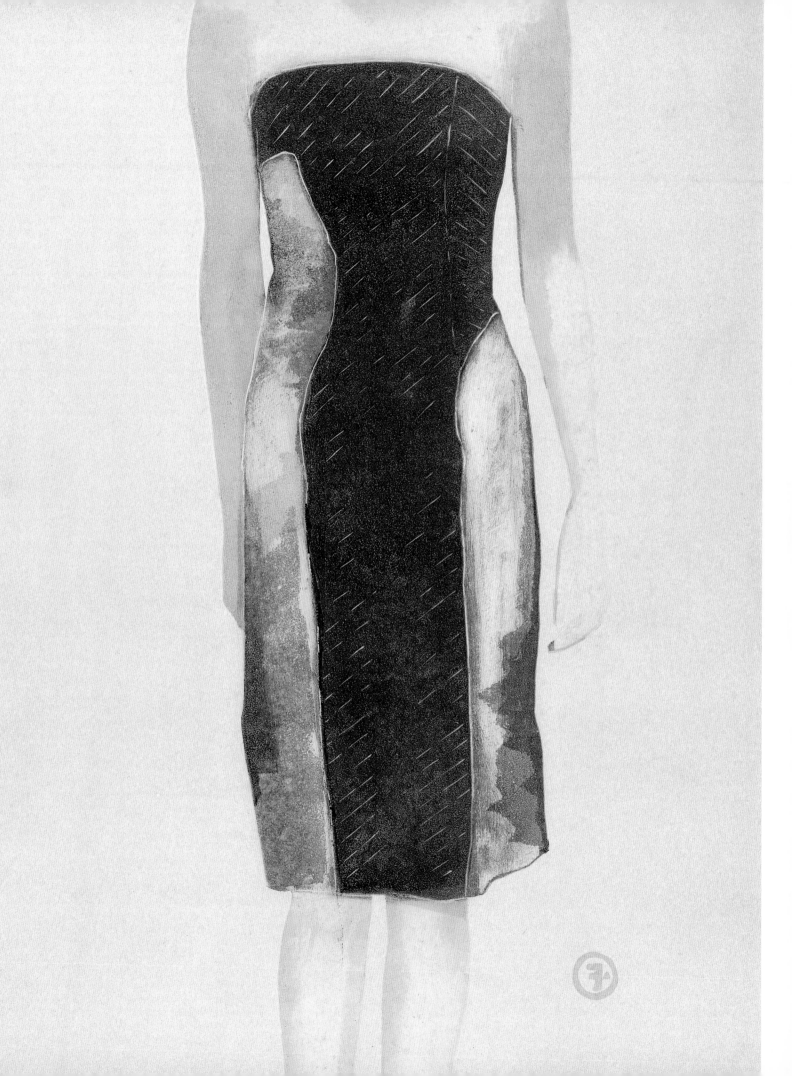

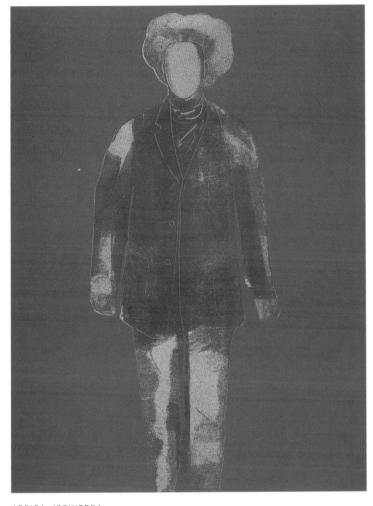 

ARRIBA, IZQUIERDA
Comme des Garçons
Monotipo, óleo sobre papel
L'Uomo Vogue, 1998

ARRIBA, DERECHA
Martin Sitbon
Monotipo, óleo sobre papel
Visionaire, 1998

PÁGINA ANTERIOR
Christian Lacroix
Monotipo, óleo sobre papel
Detour, 1999

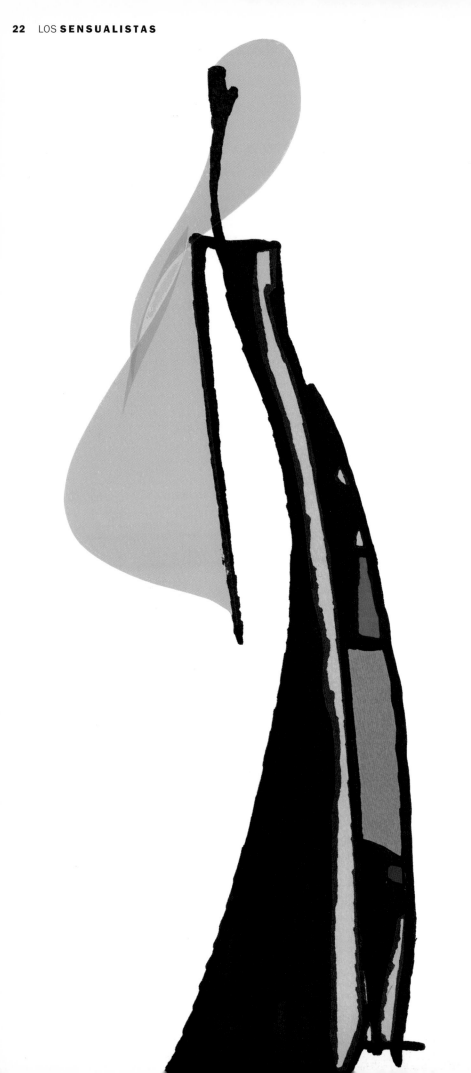

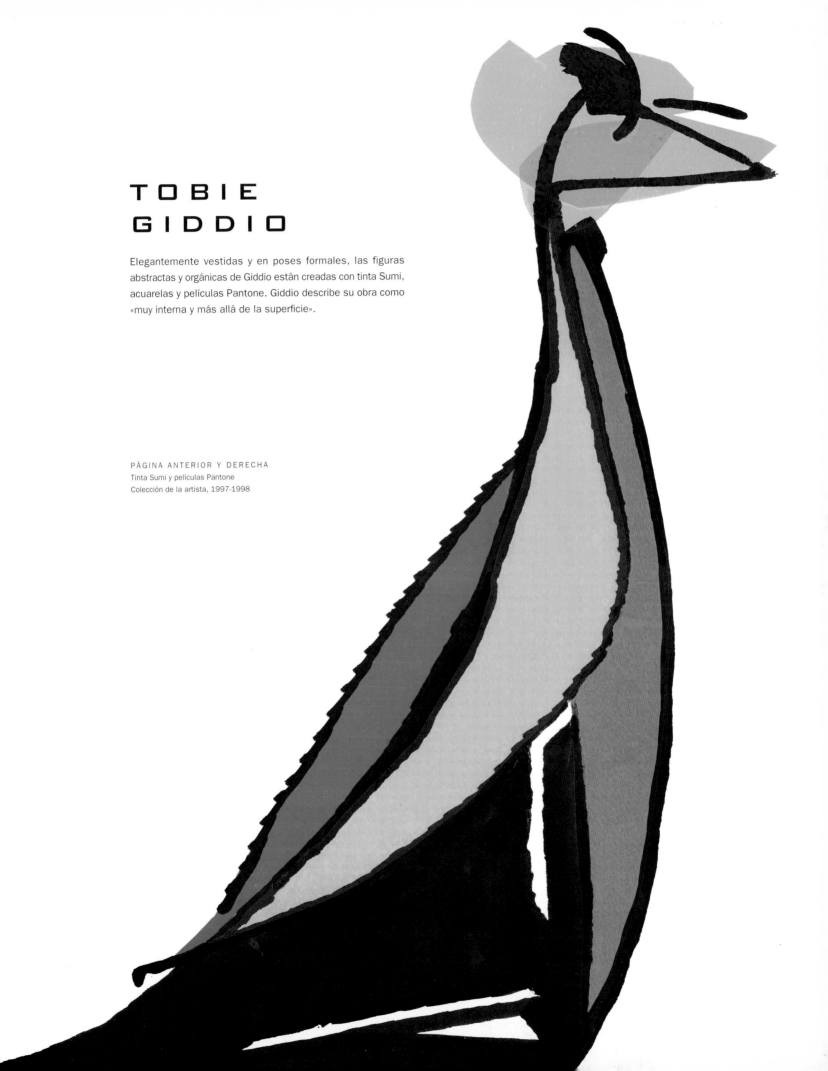

TOBIE GIDDIO

Elegantemente vestidas y en poses formales, las figuras abstractas y orgánicas de Giddio están creadas con tinta Sumi, acuarelas y películas Pantone. Giddio describe su obra como «muy interna y más allá de la superficie».

PÁGINA ANTERIOR Y DERECHA
Tinta Sumi y películas Pantone
Colección de la artista, 1997-1998

DERECHA Y PÁGINA SIGUIENTE
Tinta Sumi y películas Pantone
Colección de la artista, 1997-1998

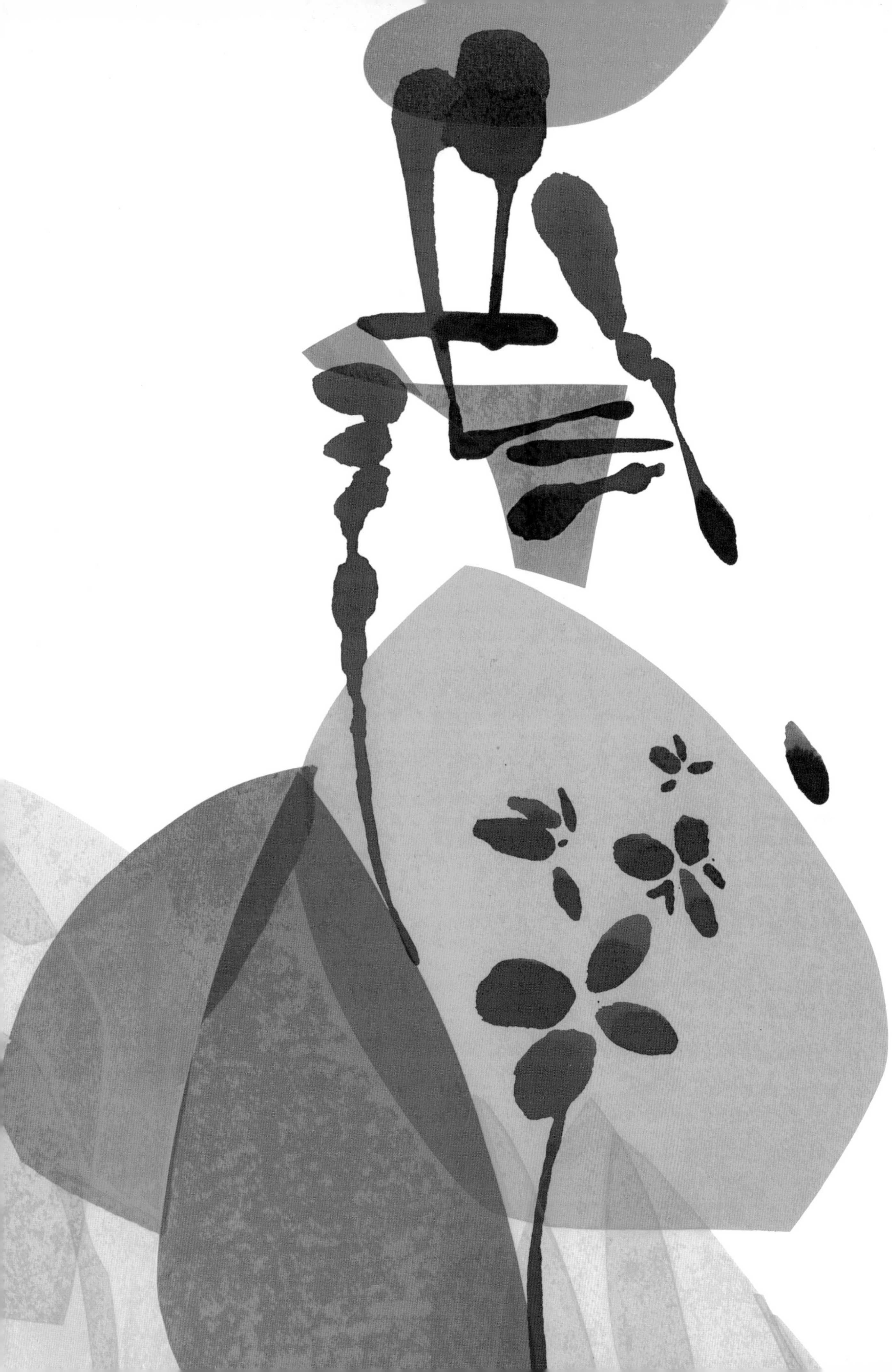

MATS
GUSTAFSON

Gustafson define su obra como «una abstracción de la moda».
Su objetivo es captar la idea de la moda mediante la
simplicidad y la abstracción, para proyectar las prendas y a la
modelo más allá del momento concreto. Gustafson enfoca la
ilustración de un modo pictórico, trabajando principalmente
con medios acuosos y pastel.

Yohji Yamamoto
Tinta sobre papel
Encargado por el diseñador, 1998

ESTA PÁGINA
Acuarela y tinta sobre papel
Colección del artista, 1999

PÁGINA SIGUIENTE
Tinta sobre papel
State Magazine, primavera de 1999

KAREEM
ILIYA

La obra de Iliya suele definirse como «etérea» y «mística».
Trabaja con acuarela y tinta sobre papel, a menudo con
colores vibrantes a través de los cuales las figuras y los
objetos parecen estallar e irradiar.

ESTA PÁGINA
Acuarela y tinta sobre papel
Colección del artista, 1999

PÁGINA ANTERIOR
Acuarela y tinta sobre papel
Bags: A Lexicon of Style, 1999

ARRIBA
Zapato Bernard Figueroa
Tinta sobre papel
Invitación, 1999

PÁGINA ANTERIOR
Acuarela y tinta sobre papel
Colección del artista, 1999

TANYA LING

Ling trabaja rápida e impulsivamente con una mezcolanza de medios. Si sus figuras son meditativas, sus superficies son crudas y táctiles. Ling dice que su obra es «maniática, emocional, llena de sentimiento e impulsiva».

DERECHA
Técnica mixta sobre papel
Elle (EE.UU.), presentación de la temporada
otoño-invierno de 1999

PÁGINA SIGUIENTE
Técnica mixta sobre papel
Colección de la artista, 1999

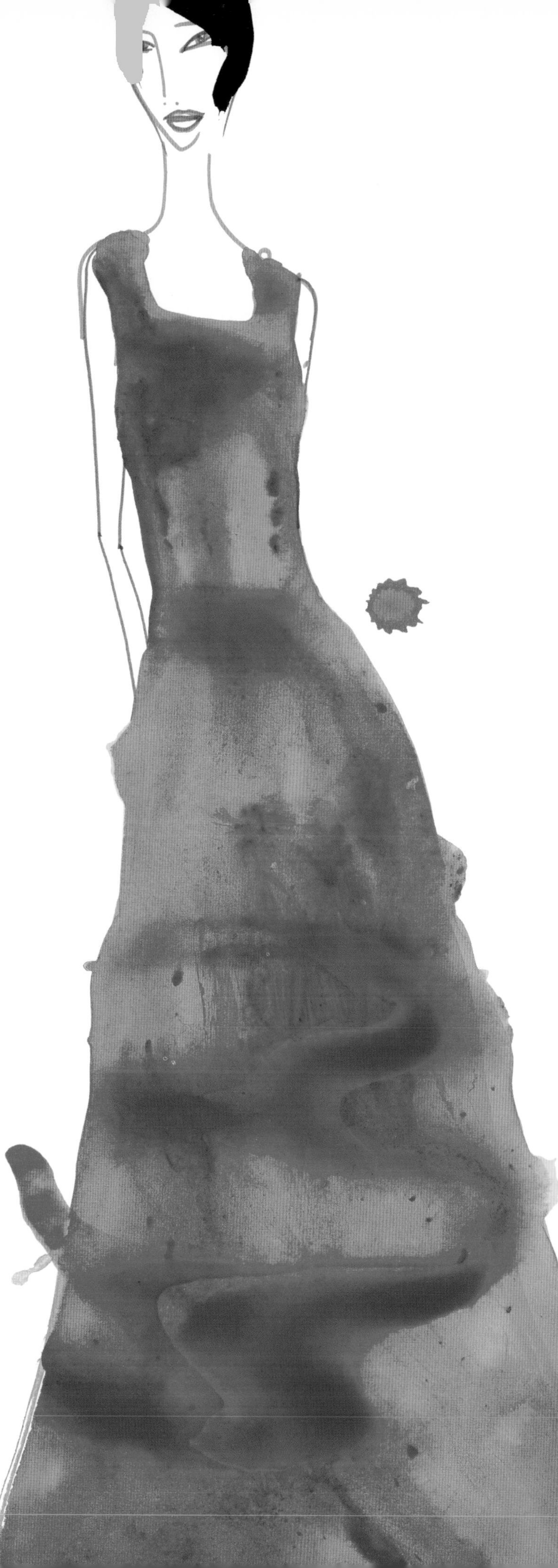

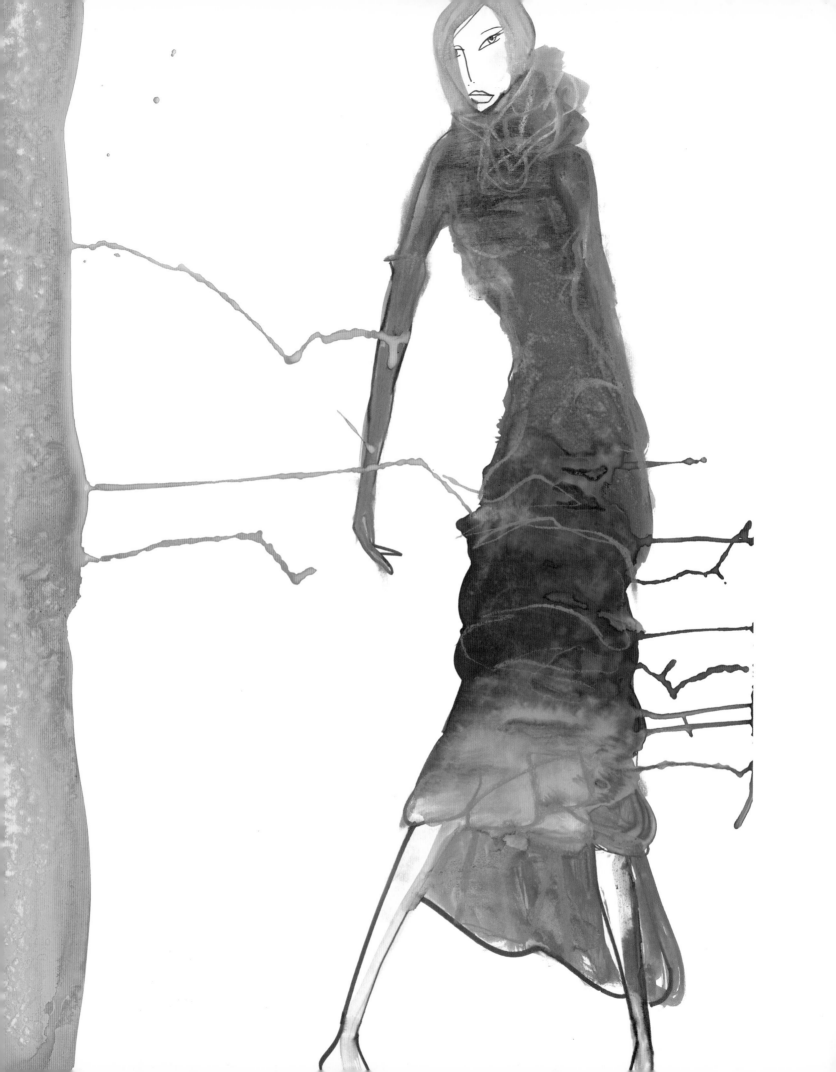

ARRIBA
Maquillaje sobre papel
Harper's Bazaar, septiembre de 1990

PÁGINA ANTERIOR
Yohji Yamamoto
Técnica mixta sobre papel
Joyce (Hong Kong), verano de 1999

DERECHA
Técnica mixta sobre papel
Elle (EE.UU.), presentación de la temporada
otoño-invierno de 1999

«Quería hacer mi propia colección, seleccionar
todos los modelos y luego sacarlos en la portada
de una revista de moda»
Técnica mixta sobre papel
Colección del artista, 1999

Detalle de «Buscaba a quien ama mi corazón»
Técnica mixta sobre papel
Catálogo Pulp Fashion de Sotheby's (Nueva York), 1999

LORENZO MATTOTTI

Mattotti ilustra de una manera narrativa y siempre intenta dar personalidad a las mujeres que dibuja. Empieza «describiendo» el vestido al máximo y evocando una atmósfera. La técnica elegida por Mattotti son los pasteles grasos y se inspira en la pintura.

LORENZO MATTOTTI
DERECHA
Vivienne Westwood
Pastel y lápiz sobre papel
The New Yorker, 1993

PÁGINA SIGUIENTE
Fendi y Dolce & Gabbana
Pastel y lápiz sobre papel
Playboy, 1997

PIET PARIS

Paris considera sus ilustraciones «declaraciones de moda abstracta». Su colorida obra gráfica está hecha con estarcidos creados a partir de un boceto inicial y coloreados con acrílicos, guache o pastel mediante un rodillo. El objetivo de Paris es conseguir un «impacto de moda de categoría» con los mínimos materiales posibles. Admira lo que está bien hecho y con sencillez, en especial los cuadros de Vermeer.

DERECHA
Kostas Murkudis
Técnica mixta sobre papel
De Telegraaf, octubre de 1998

PÁGINA SIGUIENTE
Técnica mixta sobre papel
Gasunie, 1998

ARRIBA
Técnica mixta sobre papel
Gasunie, 1998

PÁGINA SIGUIENTE
Técnica mixta sobre papel
Gasunie, 1998

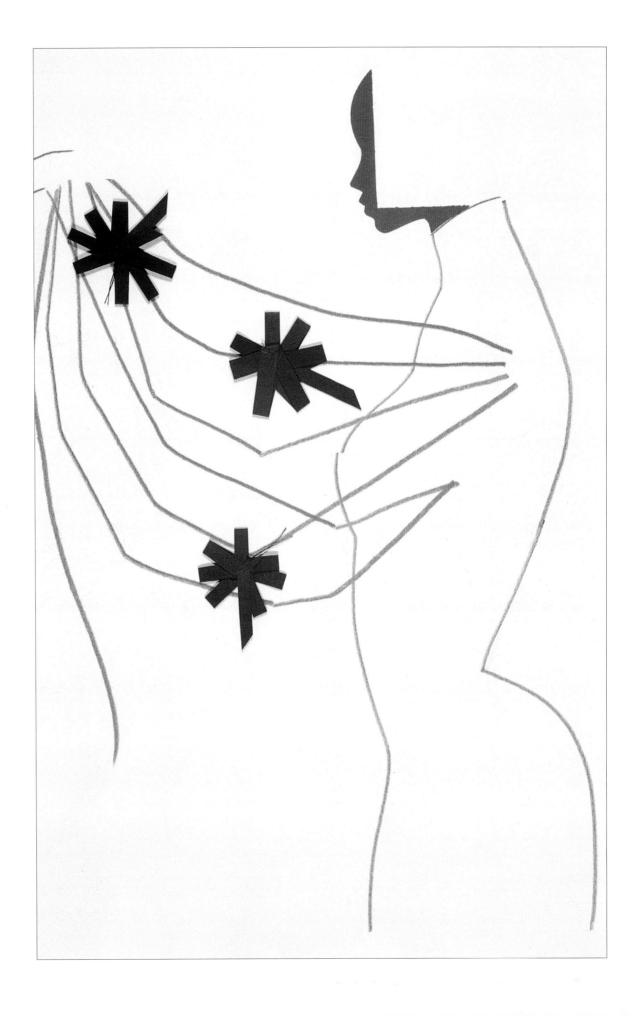

DERECHA
Técnica mixta sobre papel
Elle, 1999

PÁGINA SIGUIENTE
Olivier Theyskens
De Telegraaf, octubre de 1998

HIROSHI TANABE

Los dibujos de Tanabe se comparan a menudo con las tradicionales xilografías japonesas. Sus dibujos a tinta están transformados mecánicamente, de modo que en ocasiones parecen estar borrosos o en movimiento por la página. Tanabe explica: «Mis dibujos son tan planos y simples que intento darles un poco de movimiento sacando de registro las imágenes.»

Alexander McQueen
Tinta sobre papel
Blue Mode, 1998

ARRIBA
Técnica mixta sobre papel
Catálogo de cosméticos Anna Sui, 1998

PÁGINA ANTERIOR
Givenchy (por Alexander McQueen)
Tinta sobre papel
Blue Mode, 1998

PÁGINA ANTERIOR
Marc Jacobs
Tinta sobre papel
The New Yorker, 1995

DERECHA
Matsuda
Tinta sobre papel
Catálogo de Matsuda, 1996

ABAJO
Bolsos baguette de Fendi
Tinta sobre papel
Bags: A Lexicon of Style, 1999

RUBEN
TOLEDO

Trabajando con diversos medios, Ruben Toledo intenta transmitir «mi sincero entusiasmo por nuestro tiempo, mi esposa
y su trabajo». Para Toledo, la ilustración es una forma de comunicación personal y directa. «Si bien es la más primitiva
de las formas de presentación de la moda», afirma, «quizá
sea la más cruda, humana y duradera.»

PÁGINA ANTERIOR
Tinta sobre papel
L'Uomo Vogue, 1999

DERECHA
Yohji Yamamoto
Tinta sobre papel
L'Uomo Vogue, 1999

PÁGINA SIGUIENTE
Varios diseñadores
Técnica mixta sobre papel
Interview, febrero de 1999

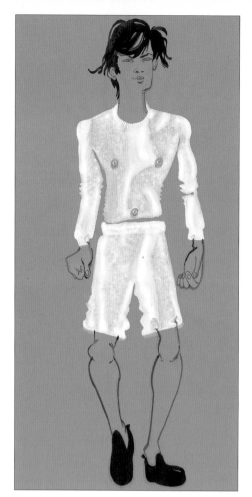

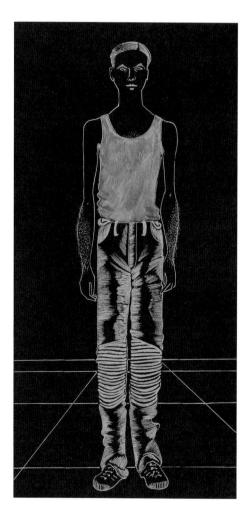
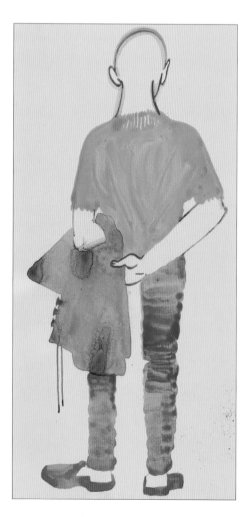

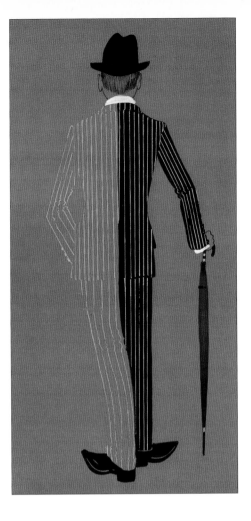 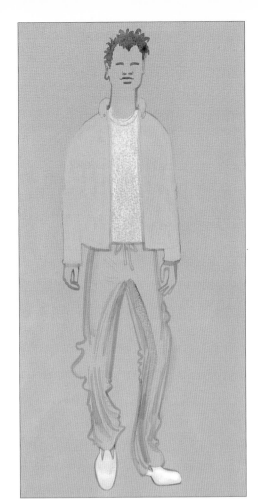 

 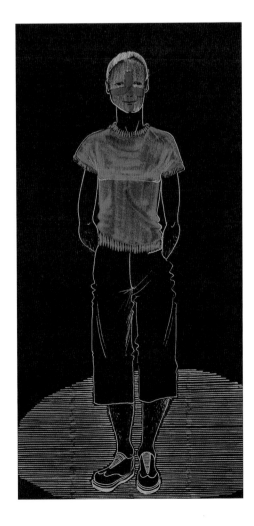 

Prada

Paul Smith

DE IZQUIERDA A DERECHA
Prada, Paul Smith, Donna Karan, Romeo Gigli
Tinta sobre papel
L'Uomo Vogue, 1999

LISELOTTE WATKINS
Gucci y Giorgio Armani
Tinta sobre papel
Colección de la artista, 1999

ROBERT CLYDE **ANDERSON CARLOTTA** AMY **DAVIS** JEAN-PHILIPPE **DELHOMME**

JEFFREY **FULVIMARI KIRAZ** ANJA **KROENCKE** JORDI **LABANDA**

DEMETRIOS **PSILLOS** MAURICE **VELLEKOOP** LISELOTTE **WATKINS**

SEGUNDA PARTE
PROVOCATIVOS Y SOFISTICADOS

Tanto si sus dibujos son provocativos como sofisticados, los artistas de esta selección crean mundos imaginarios habitados por personajes vivos. Narran la crónica de las «tribus de estilos» contemporáneas, pidiendo prestados elementos de la caricatura y las historietas gráficas para ello, a menudo con mucho humor e ingenio. También relatan, o rechazan, los estereotipos usados en la representación de la moda, como las poses estáticas de las maniquís divas de la década de los cincuenta o la postura desgarbada de muñeca de Twiggy.

Carlotta, Amy Davis, Jeffrey Fulvimari, Kiraz y Liselotte Watkins dibujan chicas de grandes ojos. Davis, por su parte, dibuja deliberadamente «bellezas feas» que rompen con los ideales estereotipados de belleza, mientras que las chicas de Kiraz son tan representativas del tipo que han acabado conociéndose como «las parisinas». Robert Clyde Anderson, Jean-Philippe Delhomme, Anja Kroencke, Jordi Labanda, Maurice Vellekoop y Demetrios Psillos crean personajes más

de «altos vuelos». Por ejemplo, las figuras abstractas de Kroencke adoptan sofisticadas poses de maniquí, mientras que las urbanitas «chic» de Labanda parecen «vivir para la ciudad».

Las ilustraciones de esta sección son figurativas; esto reza tanto para quienes trabajan con estilo abstracto como quienes lo hacen con un estilo más realista. Los ilustradores son además artistas de talento, tanto si dibujan con tinta o rotuladores, pintan con guache o crean *collages* con diversos medios. Los personajes representados en la sección de provocativos y sofisticados son de todas las razas y de distinto género, reflejando la tendencia hacia las publicaciones sobre estilos de vida menos basadas en el género que sirven a la «aldea global». Aunque fantásticos, estos personajes habitan en mundos que están al alcance, al menos, de quienes van a la moda... y son sexys. En sus ilustraciones, Kiraz, Labanda, Psillos y Vellekoop a menudo destacan la atracción sexual, en otro tiempo tabú.

ARMANI

ROBERT CLYDE ANDERSON

Las nítidas y caligráficas ilustraciones de Anderson –a las que él llama «dibujos pintados»– se ejecutan a lápiz, se trasfieren a acetato y luego se pintan desde detrás, como fotogramas de una película de animación. Su obra es altamente figurativa y se inspira en personas inteligentes y atractivas que sugieren que tienen historias propias que contar.

SHOWTIMES
230 450 700 910

ESTA PÁGINA
Traje de Michael Kors
Acrílico sobre acetato
New York Magazine, 31 de agosto de 1998

PÁGINA ANTERIOR
Acrílico sobre acetato
The New York Times Magazine, marzo de 1998

ARRIBA Y DERECHA
Acrílico sobre acetato
Dayton's/Marshall Field's, primavera de 1999

PÁGINA SIGUIENTE
Acrílico sobre acetato
Colección del artista, 1998

CARLOTTA

Carlotta describe a sus chicas parisinas de grandes ojos y tacones altos como «chic y divertidas», con una actitud que es a un tiempo «ultrafemenina y militante». Sus marcados y precisos dibujos se ejecutan con pluma negra y se colorean con guache. Carlotta se inspira en el trabajo de Diana Vreeland para *Harper's Bazaar*.

ARRIBA E IZQUIERDA
Tinta sobre papel
Elle francesa, 1998

PÁGINA SIGUIENTE
Tinta y guache sobre papel
Colección de la artista, 1999

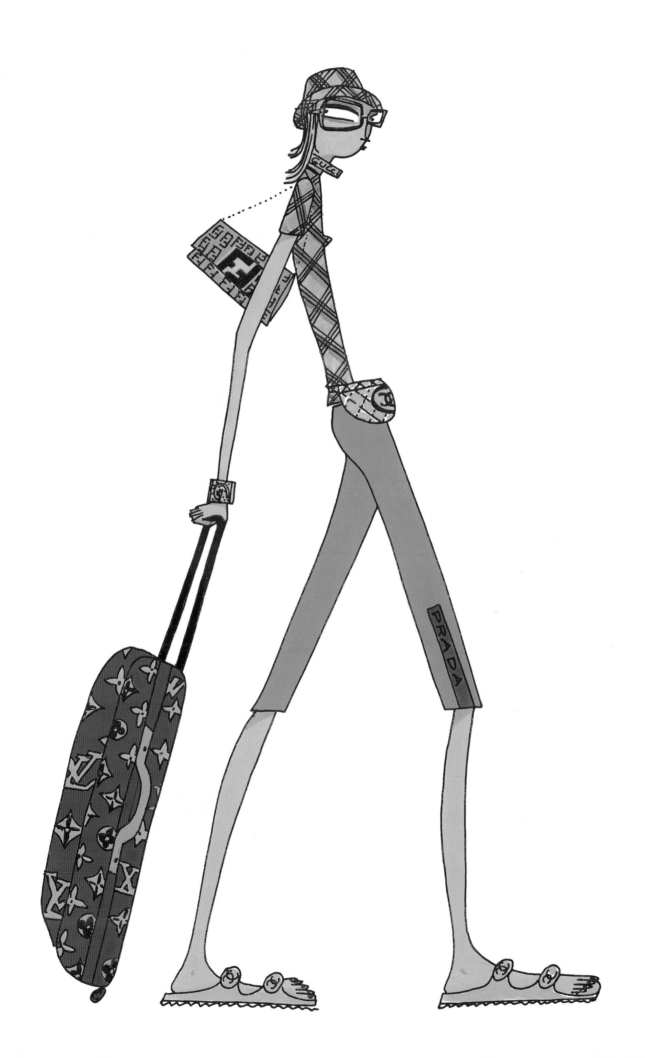

Alta costura de Chanel
Guache y tinta sobre papel
Colección de la artista, 1999

ARRIBA
Guache y tinta sobre papel
Elle francesa, 1999

PÁGINA SIGUIENTE
Guache y tinta sobre papel
Vogue Hommes, 1996

AMY DAVIS

Davis desafía los estereotipos de sofsticación y belleza con sus chicas malas descaradas y sus «bellezas feas», a las que describe como «de baja fidelidad y cutres». Ejecuta sus dibujos en tres etapas. Primero traza un contorno a pluma y líquido corrector (para darle textura). A continuación copia el contorno en papel limpio y colorea el boceto con lápices de colores y rotuladores marcadores.

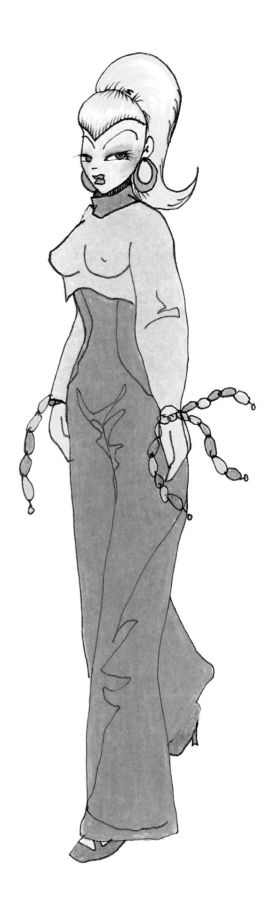

DERECHA
Thierry Mugler
Técnica mixta sobre papel
Paper, mayo de 1996

PÁGINA SIGUIENTE
«Fideos chinos»
Izquierda: camiseta de Custo, falda de Calvin Klein
Derecha: camiseta de Pimpgear, pantalones de Starlette
Técnica mixta sobre papel
Paper, mayo de 1999

ESTA PÁGINA
Pucci
Técnica mixta sobre papel
Paper, febrero de 1997

PÁGINA ANTERIOR
Yohji Yamamoto (izquierda) y Jean-Charles de
Castelbajac (derecha)
Técnica mixta sobre papel
Paper, mayo de 1996

JEAN-PHILIPPE DELHOMME

Pintadas con guache sobre papel, las ilustraciones de colores suaves, fluidas y experimentales de Delhomme están imbuidas por el espíritu de «ironía optimista» que las transforma en caricaturas precisas de la gente guapa. Delhomme describe su obra como «documentales sesgados».

Marie-Hélène de Taillac
Guache sobre papel
Invitación, 1999

Desfile masculino de Raf Simons, París
Guache sobre papel
Colección del artista, 1998

Desfile masculino de YSL, París
Guache sobre papel
Colección del artista, 1998

ARRIBA Y PÁGINA SIGUIENTE
Marie-Hélène de Taillac
Guache sobre papel
Promociones, izquierda otoño de 1998, derecha primavera de 1999

JEFFREY FULVIMARI

Los serenos personajes de Fulvimari, dibujados con su característico trazo emborronado, se inspira en las mujeres de su familia. Afirma: «Quisiera pensar que mis chicas proyectan cierta simpatía.» Fulvimari trabaja en dos dimensiones a pluma y tinta, así como con un ordenador Macintosh.

Hussein Chalayan
Macintosh, Photoshop
Colección del artista, 1999

hussein chalayan fall 1999

ARRIBA Y PÁGINA SIGUIENTE
Tinta sobre papel
Detalles de una instalación en Global 33, Nueva York, 1994

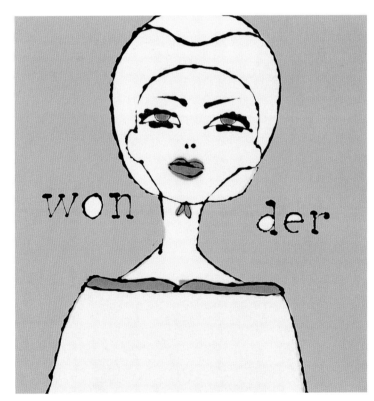

Macintosh, Photoshop
Tuka, calendario de empresa japonés, 2000

KIRAZ

Según Kiraz, sus parisinas son chicas «tontas pero no malas. Miran mucho los escaparates y cambian de novio en menos que canta un gallo». Se inspira en las mujeres, particularmente en las parisinas, «que siempre tienen prisa y, caminan a pasitos diminutos». Le gusta pasar el rato en los cafés, viéndolas pasar. Kiraz pinta con guache sobre cartón.

DERECHA
Guache sobre cartón
Promoción de crema Nivea, mayo de 1998

PÁGINA ANTERIOR
«Cuando mi marido vea todo lo que me he comprado, se pondrá hecho una furia y me llamará de todo. Entonces yo me echaré a llorar y me enfurruñaré y al final me hará un buen regalo para hacerse perdonar.»
Guache sobre cartón
Gala, mayo de 1998

ESTA PÁGINA
«El muy cobarde me ha abandonado después de ha-
berme dado a probar los lujos».
Guache sobre cartón
Jours de France, julio de 1980

PÁGINA SIGUIENTE
«Tú, que te gustan los rubios, te quedarás con el
moreno y yo, que me gustan los morenos, me que-
daré con el rubio; en vacaciones no hay que atarse.»
Guache sobre cartón
Gala, agosto de 1997

KIRAZ
ARRIBA
«He hecho mal prestándote un vestido, Chantal: ¡está
tan borracho que cree que soy yo quien está dentro!»
Guache sobre cartón
Jours de France, marzo de 1982

PÁGINA SIGUIENTE
«¡Huyamos! ¡He oído bostezar a alguien!
Guache sobre cartón
Jours de France, noviembre de 1985

A N J A
K R O E N C K E

Las elegantes figuras de Kroencke comunican sutilmente su sofisticación a través de la pose y la postura. Kroencke utiliza diversas técnicas, entre ellas la
pintura acrílica, el guache y el *collage,* para crear sus
sencillas y tan gráficas ilustraciones. Ella describe su
obra como «moderna».

Técnica mixta sobre papel
Madame Figaro, 1999

Técnica mixta sobre papel
Folleto de la New York City Opera
Campaña «Jóvenes oyentes», 1999

Técnica mixta sobre papel
Cartel para la New York City Opera
Campaña «Jóvenes oyentes», 1999

ARRIBA
«Lencería», 1997
Técnica mixta sobre papel
Colección de la artista

IZQUIERDA
Técnica mixta sobre papel
Madame, 1999

Técnica mixta sobre papel
Madame, 1999

JORDI
LABANDA

Las sofisticadas ilustraciones de Labanda, pobladas de figuras elegantes e inteligentes, están pintadas con guache y destilan sentido del humor. Labanda dice que sus intensas composiciones, casi fotográficas, expresan en él el fotógrafo de moda «que nunca salió».

ARRIBA
Alexander McQueen
Guache sobre papel
AB, junio de 1998

PÁGINA SIGUIENTE
Lawrence Steele
Guache sobre papel
AB, junio de 1998

PÁGINA ANTERIOR
Lanvin
Guache sobre papel
AB, 1999

ABAJO
Oscar de la Renta
Guache sobre papel
AB, 1999

Prada
Guache sobre papel
AB, 1999

DEMETRIOS
PSILLOS

El mundo que Psillos ilustra, y caricaturiza, lo pueblan personas con «cierto aire, cierta gracia». Él describe a estas glamorosas criaturas del gran mundo como «sofisticadas y surrealistas», y añade: «Están completamente locas, pero les trae sin cuidado». Psillos pinta con acrílico sobre papel o cartulina y a menudo incorpora el *collage* a su obra.

ESTA PÁGINA
Chica con bolso de Antonio Berardi
Técnica mixta sobre papel
Vogue británico, septiembre de 1997

PÁGINA SIGUIENTE
Chica con limón
Técnica mixta sobre papel
Vogue británico, agosto de 1997

DEMETRIOS PSILLOS
IZQUIERDA
«Mujer vestida de Missoni»
Técnica mixta sobre papel
Harper's Bazaar (EE.UU.), julio de 1999

PÁGINA SIGUIENTE
«Casa del pachá»
Técnica mixta sobre papel
Wallpaper*, julio-agosto de 1998

MAURICE VELLEKOOP

Maurice Vellekoop aborda cada sesión de dibujo como si fuera una sesión fotográfica en la cual tiene que hacer de estilista, maquillador y peluquero, además de fotógrafo. Sus ilustraciones se ejecutan con rotuladores y acuarelas. Inspirado por la fotografía y los estilos tradicionales de las historietas gráficas, Vellekoop se describe como «un satírico moderado». Los temas de su sátira son la moda y el sexo.

Dolce & Gabbana
Acuarela sobre papel
Wallpaper*, mayo-junio de 1997

ESTA PÁGINA
DKNY, Alan Flusser

PÁGINA SIGUIENTE
Kiton, Helmut Lang, Brooks Brothers
Acuarela sobre papel
Men's Fashions, The New York Times Magazine
22 de marzo de 1998

MAURICE VELLEKOOP
PÁGINA SIGUIENTE
Missoni
Acuarela sobre papel
Wallpaper*, mayo-junio de 1997

ABAJO
Boutique Christian Dior, Valentino
Acuarela sobre papel
Wallpaper*, noviembre-diciembre de 1997

LISELOTTE WATKINS

«Moderna, sencilla y emocional» son las palabras que Watkins emplea para describir su obra. Sus ilustraciones y *collages* se hacen con papeles Pantone y guache. Las chicas contemporáneas de Watkins son «interesantes y comprensivas, al tiempo que seductoras y sexys».

DERECHA
Técnica mixta
Amica, julio de 1999

PÁGINA SIGUIENTE
Gucci
Técnica mixta
Amica, julio de 1999

ARRIBA
Dolce & Gabbana
Técnica mixta
Amica, abril de 1999

IZQUIERDA
Gucci
Tinta sobre papel
Colección de la artista, 1999

PÁGINA SIGUIENTE
Louis Vuitton
Técnica mixta
Amica, julio de 1999

ARRIBA
Horoscopes
Técnica mixta
Amica, septiembre de 1999

PÁGINA SIGUIENTE
Samsonite
Técnica mixta
Amica, julio de 1999

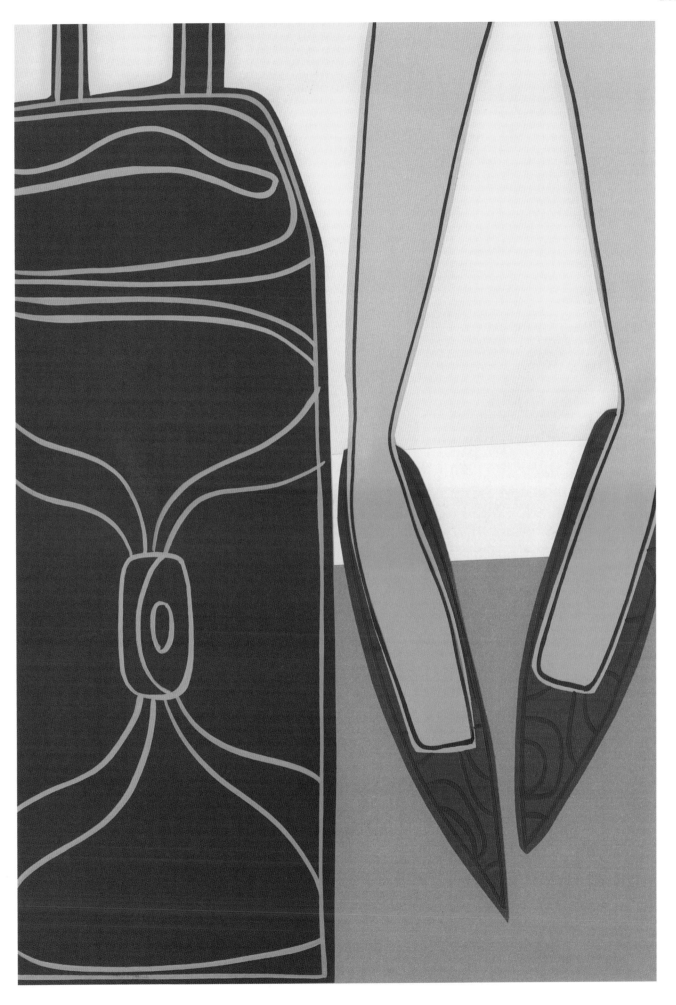

Ed. TSUWAKI
Comme des Garçons
Macintosh G3, Adobe Illustrator
Zola, febrero de 1997

TERCERA PARTE
LOS TECNÓCRATAS

El ordenador está revolucionando la ilustración. Todos los ilustradores de esta sección dibujan, pero no como fin en sí mismo. Los tecnócratas están fascinados por el proceso de transformar digitalmente las ilustraciones, y su obra manual es el primer paso que conduce a un producto final generado por ordenador.

De los tecnócratas, Jason Brooks, Thierry Perez, Graham Rounthwaite y Ed. Tsuwaki son los más figurativos, un enfoque que los acerca más que nadie a los Provocativos y Sofisticados.

Los glamourosos y lustrosos personajes de Brooks existen en una atmósfera de boutique de color caramelo, mientras que Rounthwaite crea un entorno urbano poblado de chicos de la calle en la onda. Perez transforma y mejora con el ordenador su primer estilo estridentemente sexual de dibujo al pastel. Los personajes de Tsuwaki son versátiles; sus alargadas chicas provocativas son súper lisas, casi planas, bordeando lo extraterrestre.

La obra de Michael Economy y Maxine Law es enormemente gráfica, con densos contornos negros y composiciones planas. El estilo de Economy es una amalgama de Hanna & Barbera, animación japonesa y pop art, mientras que las figuras de Law evocan los carteles artísticos de la década de los sesenta. Los anuncios de Law para Paul Smith pretendían comunicar una sensación retro, tipo «submarino amarillo». En comparación, la obra gráfica de Yoko Ikeno es más abstracta, basada en la silueta y la pose.

La mejor descripción de las ilustraciones de Kristian Russell es que son abstractas y minimalistas. Rusell rebaja y reduce inexorablemente sus figuras a superficies reflectantes. Sus misteriosos y artificiosos personajes parecen existir bajo unos focos intensos o verse a través de una bruma psicodélica y alucinógena.

JASON BROOKS

Las ilustraciones de Brooks evocan «un universo paralelo deslumbrante donde todo el mundo es bello». Sus mujeres son fuertes y confiadas («no sólo chicas vestidas»). A menudo miran directamente al espectador desde la página.

IZQUIERDA
Macintosh G4, Adobe Photoshop
New York Interior, 1999

PÁGINA SIGUIENTE
Prada
Macintosh G4, Adobe Photoshop
Elle (GB), noviembre de 1999

ESTA PÁGINA
Alessandro Dell'Acqua
Macintosh G4, Adobe Photoshop
Elle (GB), noviembre de 1999

PÁGINA ANTERIOR
Chica en una silla de Jacobsen
Macintosh G4, Adobe Photoshop
Colección del artista, 1999

ESTA PÁGINA
Macintosh G4, Adobe Photoshop
Colección del artista, 1999

PÁGINA ANTERIOR
Plumilla, Macintosh G4, Adobe Photoshop
Elle alemana, 1999

MICHAEL ECONOMY

En 1996, Economy abandonó sus rotuladores Sharpie y las películas coloreadas Chartpack en favor de un ordenador Macintosh. Sus «vibrantes y esquivas» ilustraciones están inspiradas en el pop art y la animación japonesa. Él describe su estética como la de una «orgía de adolescentes meones de grandes ojos».

ARRIBA
Anna Sui
PowerMac 7200, Illustrator
Invitación a un desfile, otoño de 1997

DERECHA
Anna Sui Jean/Gilmar
PowerMac 7200, Illustrator
mini cartel de vaqueros, 1997

PÁGINA ANTERIOR
Anna Sui
PowerMac 7200, Illustrator
Logotipo, 1993

PÁGINA SIGUIENTE
Muñequitas Celery
PowerMac 7200, Illustrator
Muñecas recortables para Anna Sui Jeans, 1997

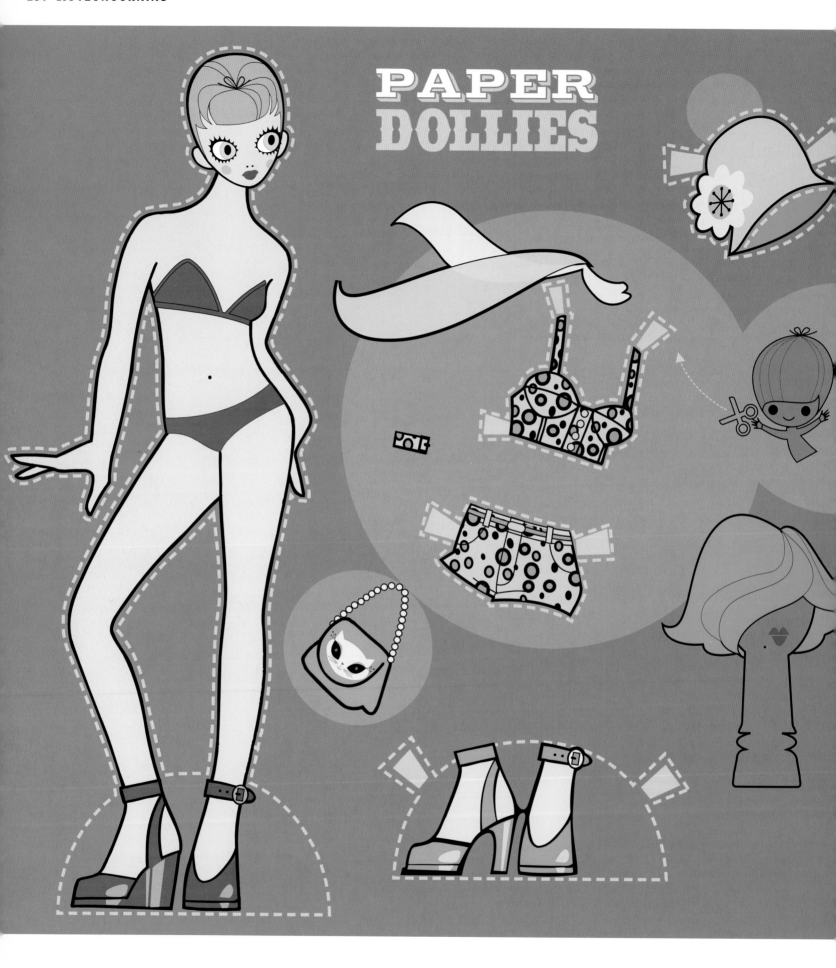

PAPER DOLLIES

MICHAEL ECONOMY
ESTA PÁGINA
Chicos graffiti
PowerMac 7200, Illustrator
Sweater Magazine, 1998

PÁGINA SIGUIENTE
Chica escorpio
PowerMac 7200, Illustrator
B Magazine, 1997

YOKO IKENO

Inspirada por la vida cotidiana, Ikeno intenta «expresar sentimientos y actitudes sutiles con las mínimas líneas y un color sorprendente». Sus ilustraciones abstractas figurativas están dibujadas a lápiz y acuarela y transformadas en el Macintosh.

PÁGINA SIGUIENTE
Lanvin
Macintosh G3, Adobe Photoshop
Colección de la artista, 1999

ABAJO
Macintosh G3, Adobe Photoshop
Colección de la artista, 1999

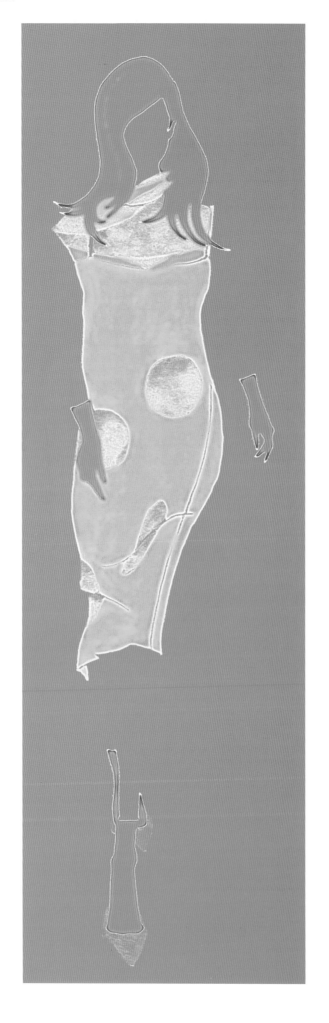
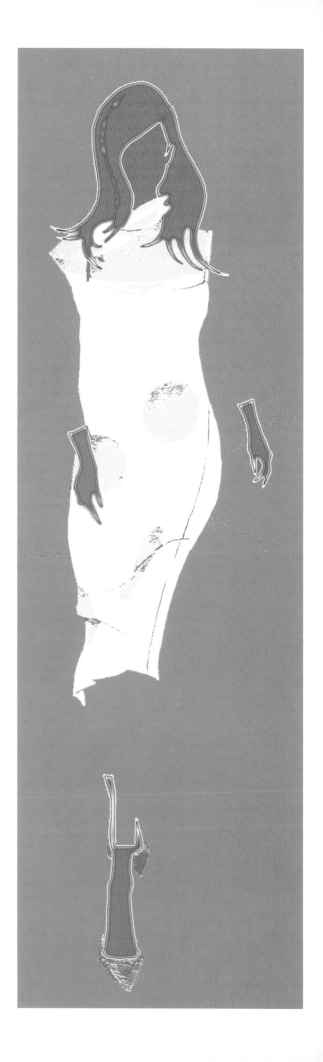

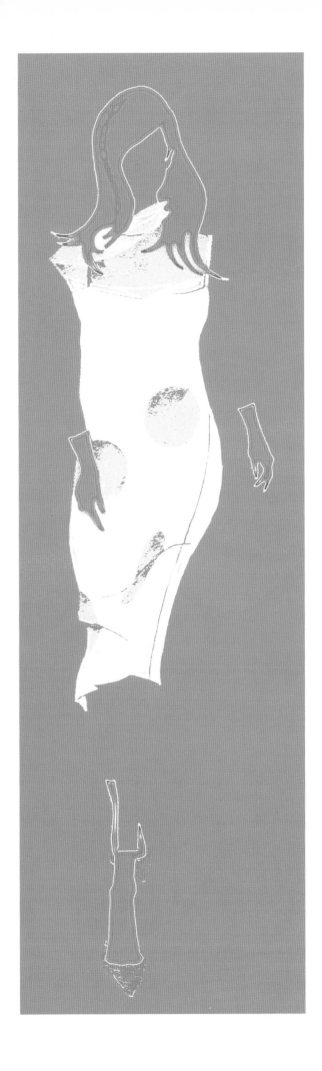

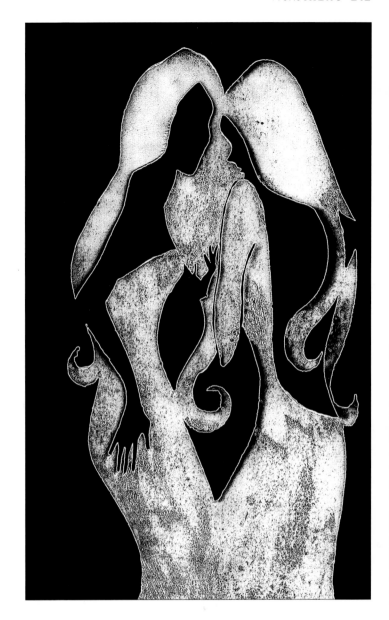

ARRIBA
Macintosh G3, Adobe Photoshop
Colección de la artista, 1999

IZQUIERDA
Martine Sitbon
Macintosh G3, Adobe Photoshop
Colección de la artista, 1999

MAXINE LAW

Law describe su trabajo como «intenso, atrevido, bastante impulsivo y ligeramente caricaturesco». Se inspira en el arte de David Hockney y en el modo como utilizan el color Henri Matisse y Howard Hodgkin.

PÁGINA ANTERIOR
Macintosh G3, Illustrator
Esquire (GB), noviembre de 1997

ABAJO Y DERECHA
Paul Smith
Macintosh G3, Illustrator
Campaña publicitaria, otoño-invierno de 1996
Cortesía de Paul Smith Ltd.

PÁGINA SIGUIENTE
Paul Smith
Macintosh G3, Illustrator
Campaña publicitaria, primavera-verano de 1997
Cortesía de Paul Smith Ltd.

THIERRY
PEREZ

Thierry Perez descubrió el ordenador en 1999. Con el fin de «mantener la emoción» en su obra, siempre empieza con un dibujo a mano, con líneas negras sobre papel, antes de transferirlo al ordenador. Perez no es minimalista. Al pedirle que describa su obra, declara: «siempre he amado la sensualidad y el erotismo, además de los personajes muy extremados. Por otra parte, me encanta convertir lo raro en poético y surrealista».

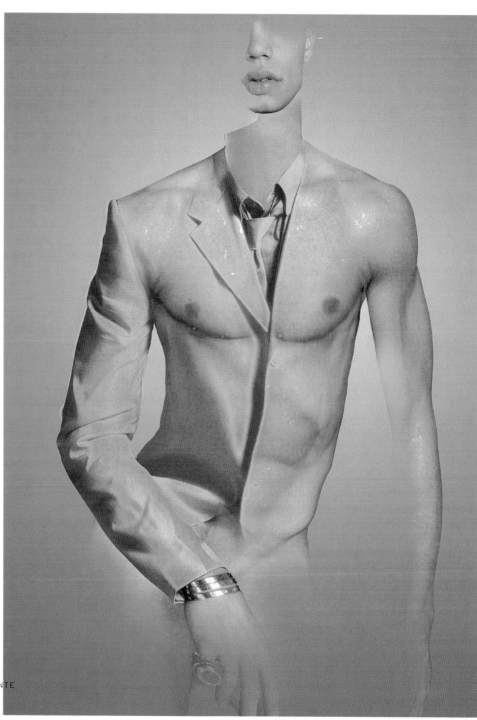

DERECHA
Macintosh G3, Photoshop
Colección del artista, 1999

PÁGINA SIGUIENTE
Pascal Humbert
Macintosh G3, Photoshop
Colección del artista, 1999

DOBLE PÁGINA SIGUIENTE
Macintosh G3, Photoshop
Colección del artista, 1999

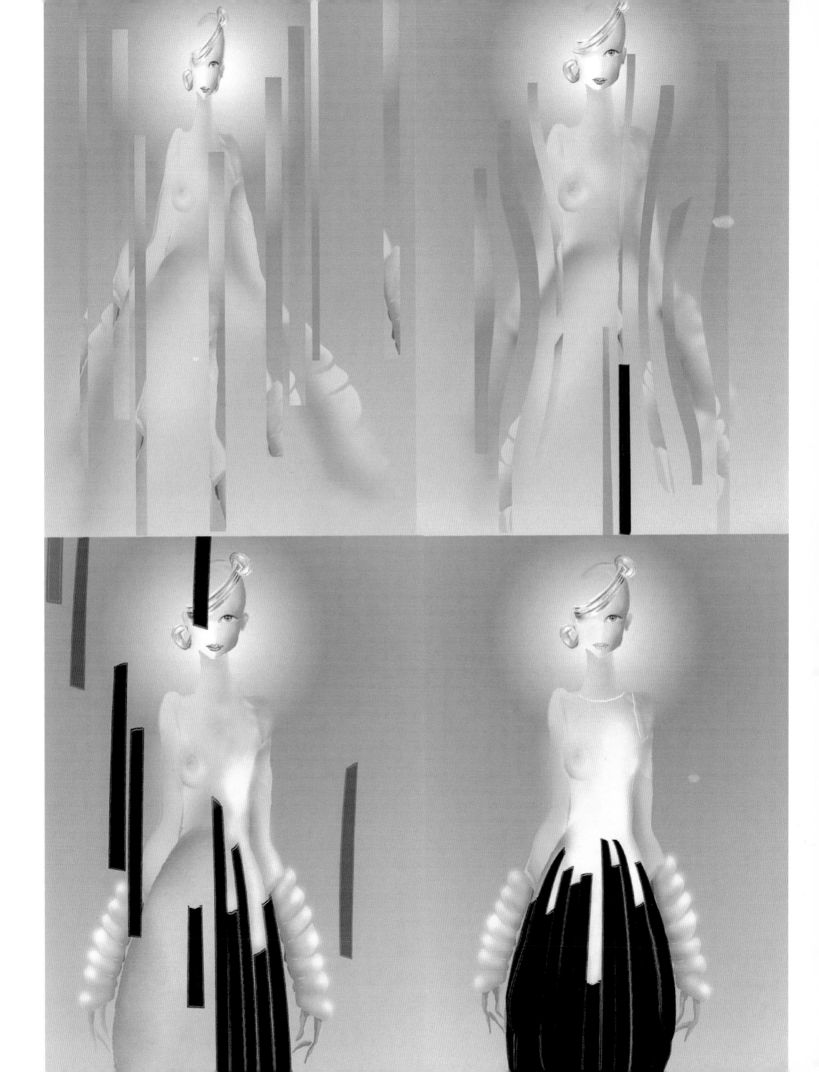

T.PEREZ

GRAHAM ROUNTHWAITE

Rounthwaite se inspira en «personas reales» más que en la moda. Sus chicos están en la onda, son desinhibidos y aportan luz al apagado entorno urbano en el que habitan. Rounthwaite afirma que lo único que siempre ha deseado es que sus dibujos «signifiquen algo para los jóvenes normales de la calle y reflejen sus aspiraciones».

ABAJO Y PÁGINA SIGUIENTE
Macintosh G3, Photoshop
Campaña publicitaria de silverTab®, 1999

Macintosh G3, Photoshop
Campaña publicitaria de silverTab®, 1998

Macintosh G3, Photoshop
Campaña publicitaria de silverTab®, 1998

KRISTIAN RUSSELL

La obra de Russell, extremada y eléctrica, es de fuertes contrastes. Utilizando el programa Illustrator, Russell hace que sus bocetos iniciales «muestren lo que valen», destilándolos en abstracciones de formas y superficies reflectantes. Afirma que su obra tiene una «personalidad dividida» que otros han descrito como «el *Art Nouveau* encuentra a Hype Williams» y «Aubrey Beardsley se encuentra con The Matrix». Russell se inspira en muchas cosas, pero la música ejerce una importante influencia en su obra.

IZQUIERDA
Mono blanco
Macintosh G3, Illustrator
Scene Magazine, junio de 1998

PÁGINA SIGUIENTE
Maharishi by Maharishi, Marina Kereklidou y Burfitt
Macintosh G3, Illustrator
Colección del artista, 1998

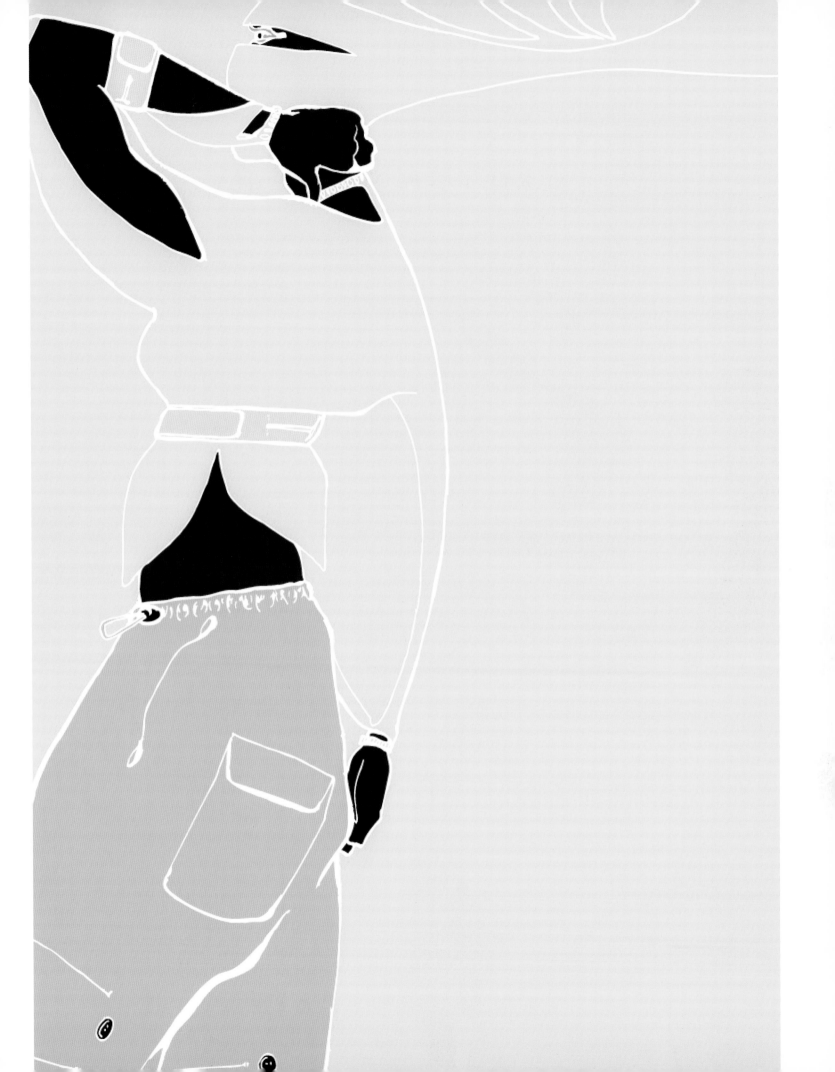

PÁGINA ANTERIOR
As Four
Macintosh 3, Illustrator
Nylon Magazine, marzo de 1999

IZQUIERDA
Abrigo de tiburón de Vexed Generation
Macintosh G3, Illustrator
Realizado para Vexed Generation, septiembre de 1998

ABAJO
Vestido de Vexed Generation
Macintosh G3, Illustrator
Realizado para Vexed Generation, septiembre de 1998

ARRIBA
The Girls
Macintosh G3, Illustrator
Encargo de *Frank Magazine*, abril de 1998

PÁGINA ANTERIOR
Helen Tibbling
Macintosh G3, Illustrator
Realizado para un desfile de moda, mayo de 1999

Ed. TSUWAKI

Tsuwaki desarrolló su actual estilo en 1994, cuando empezó a utilizar el ordenador para crear sus ilustraciones. Sus figuras lisas y alargadas tienen grandes ojos, conocimiento y un aire extraterrestre. Ilustrar, afirma Tsuwaki, es «como dar a luz al otro yo que hay en mí».

PÁGINA ANTERIOR
«Las chicas de Dublín»
Macintosh G3, Adobe Illustrator
In Natural, octubre de 1996

ESTA PÁGINA
«Kate la vaquera»
Macintosh G3, Adobe Illustrator
Colección del artista, 1998

PÁGINA SIGUIENTE
«Blanco»
Macintosh G3, Adobe Illustrator
Vogue Nippon, número prelanzamiento, septiembre de 1998

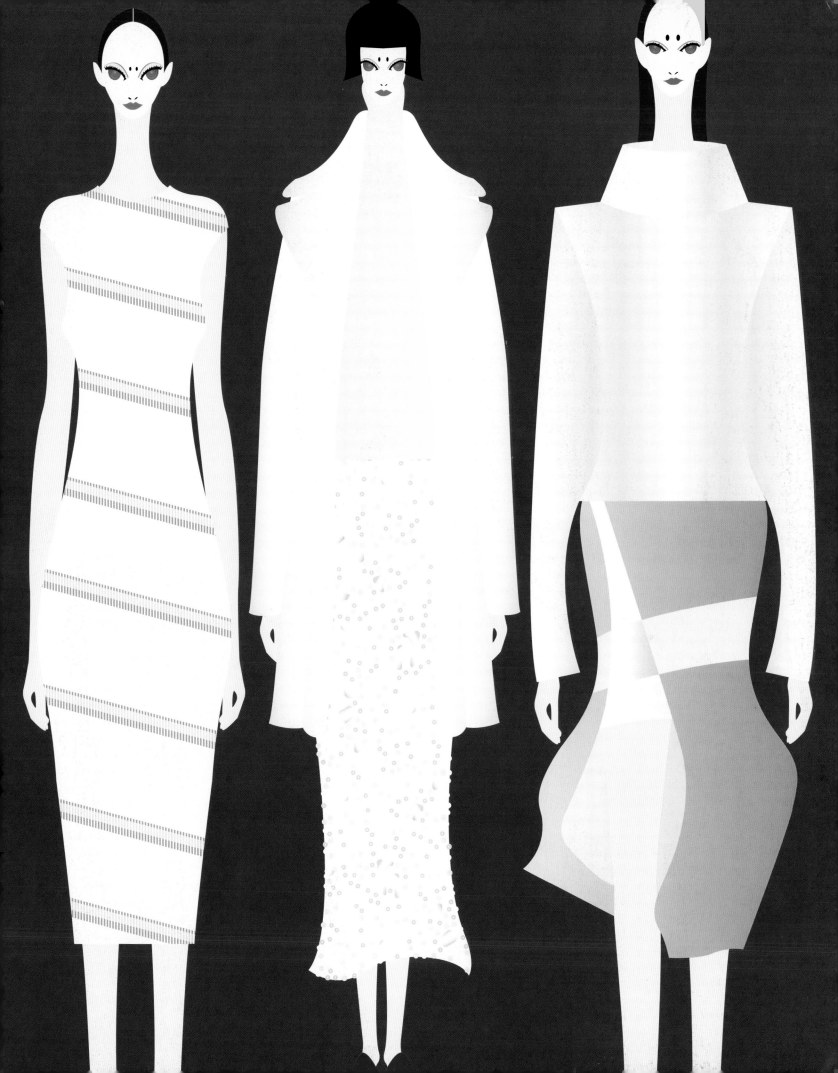

NIETZSCHE

Albert Camu

JEAN-PAUL SART

Ed. TSUWAKI

ARRIBA

«Cara graciosa», colección Ralph Lauren
Macintosh G3, Adobe Illustrator
Vogue Nippon, septiembre de 1999

DERECHA

«Cara graciosa», Narciso Rodríguez
Macintosh G3, Adobe Illustrator
Vogue Nippon, septiembre de 1999

BIOGRAFÍAS

RUBEN ALTERIO

Ruben Alterio nació en 1949 en Argentina en el seno de una familia de artistas. Estudió en L'École des Beaux-Arts de Buenos Aires antes de afincarse en París. La obra de Alterio se ha expuesto en numerosos museos y galerías. Ha ilustrado libros para Éditions Assouline, Éditions Aubier y Éditions du Seuil. En 1999 inició una colaboración teatral, *Peines de coeur d'une chatte française* (Penas de amor de una gata francesa), con el director Alfredo Arias. Sus ilustraciones para esta obra fueron publicadas en forma de libro.

Alterio ha trabajado con importantes agencias publicitarias desde la década de los ochenta. Su trabajo editorial ha aparecido en numerosas publicaciones, incluyendo *Elle, Madame Figaro, Frankfurter Allgemeine Magazin, Deutsche Vogue, Marie Claire, Mirabella, New York Magazine y The New Yorker*. Entre los clientes empresariales de Alterio se encuentran Boucheron, Celine, Chanel, Crédit Lyonnais, DIM, Ermenegildo Zegna, Escada, Galeries Lafayette, Kenzo, L'Oréal, Lancôme, Piaget, Taittinger y Neiman Marcus, para quien ilustró un inserto de 36 páginas en 1997.

CONTACTO:
At Large, 8 rue Myrha, 75018 París
Tel.: (33) (0)(1) 53 41 41 70
Fax: (33) (0)(1) 53 41 41 71
Correo electrónico: sylvie.flaure@wanadoo.fr

ROBERT CLYDE ANDERSON

Robert Clyde Anderson creció en una granja de Louisiana. Empezó a dibujar a los dos años. Más tarde estudió bellas artes y diseño en la Universidad Estatal de Louisiana. Tras licenciarse en Bellas Artes, Anderson siguió estudiando dibujo de la figura humana y pintado por su cuenta. Trabajó durante diez años en publicidad en Nueva Orleans antes de trasladarse a Nueva York, en 1989, donde empezó a trabajar como ilustrador autónomo. Anderson vive en el centro de Nueva York.

Anderson cuenta con *Details, Fortune, House & Garden, Mademoiselle, New York Magazine, The New York Times Magazine, Travel & Leisure, Vogue y Wallpaper** entre sus clientes editoriales. Sus clientes empresariales incluyen AT&T, Barneys New York, Bergdorf Goodman, Dayton's, ESPN, Estée Lauder, The Gap, IBM, J. Crew, Kenneth Cole, Le Printemps, Lincoln Center, Marshall Field's, Microsoft, Moet & Chandon, Neiman Marcus y Turner Broadcasting. Además, Anderson ha ilustrado y rotulado solapas de libro para Chronicle Books, Doubleday, Farrar, Straus & Girous y St Martin's Press, entre otros.

CONTACTO (EE.UU.):
Art Department, 48 Greene Street, Nueva York, NY 10013
Tel.: (1) (212) 925 4222
Fax: (1) (212) 925 4422
Correo electrónico: artdept@panix.com

CONTACTO (GB):
Art Department London, 113 Canalot Studios, 222 Kensal Road, Londres W10 5BN
Tel.: (44) (020) 8968 8881
Fax: (44) (020) 8968 8801
Correo electrónico: joe@artdept-london.co.uk
Página web: www.art-dept.com

FRANÇOIS BERTHOUD

François Berthoud nació en Suiza en 1961. Estudió diseño gráfico e ilustración en Lausanna y se graduó en 1982. A continuación se trasladó a Milán para trabajar para Condé Nast. Sus primeras obras publicadas fueron cómics e ilustraciones para revistas de vanguardia. Durante la década de los ochenta fue uno de los principales colaboradores de *Vanity,* ilustrando historias de moda y portadas. Bartsch & Chariau ha publicado los catálogos de las exposiciones de su obra. Su estudio está en Milán.

La obra de Berthoud ha aparecido en *Amica, Harper's Bazaar, Interview, L'Uomo Vogue, Marie Claire, The New York times Magazine, The New Yorker y Visionaire,* además de en las ediciones italiana, francesa, alemana, española y británica de *Vogue.* Entre sus clientes empresariales están Alessi, Galeries Lafayette, The Gap, Hermès, Jil Sander, Krizia, Malo, Prada, Romeo Gigli y The Ginza, Japón.

CONTACTO (FRANCIA):
Yannick Morisot, 10, cité d'Angoulême, 75001 París
Tel.: 33 (0)(1) 43 38 02 01
Fax: 33 (0)(1) 43 38 54 08
Correo electrónico: ym@morisot.net

PÁGINA ANTERIOR
DEMETRIOS PSILLOS
«Chica con camiseta de cáncer de mama»
Técnica mixta sobre papel
Vogue británico, junio de 1999

JASON BROOKS

Jason Brooks nació en Londres en 1969. Estudió diseño gráfico e ilustración en St Martins donde se graduó. En 1991, Brooks recibió el premio de ilustración Cecil Beaton del *Vogue* británico/Sotheby's. Más tarde acabó un máster en ilustración en The Royal College of Art. Brooks vive y trabaja en Londres.

La obra de Brooks ha aparecido en *Detour, Elle, In Style, The Face, Harper's Bazaar, Visionaire* y las ediciones británica y francesa de *Vogue*, entre otras publicaciones. Sus clientes empresariales incluyen British Airways, Fabergé, Finlandia, L'Oréal, Oblivy & Mather y Mercedes Benz.

CONTACTO (EE.UU.):
**UNIT NYC, 125 Cedar Street, 2N, Nueva York, NY 10006
Tel.: (1) (212) 766 4117
Fax: (1) (212) 766 4227**

CONTACTO (EUROPA):
**UNIT CMA
Egelantiersstraat 143
1015 ra Amsterdam
Tel.: (31) (0)(20) 530 6000
Fax: (31) (0)(20) 530 6001
Página web: www.unit_amsterdam.com
Correo electrónico: www.jason-brooks.com**

CARLOTTA

Carlotta nació en Lyon, Francia. Estudió diseño de moda en L'École des Baux-Arts y en el Studio Berçot de París, donde ahora da clases. Japanese Gap publicó en 2000 un libro sobre su obra, *Carlotta A to Z (Carlotta de la A a la Z).* Carlotta vive en París con su marido y su hijo.

Las ilustraciones de Carlotta han aparecido en numerosas publicaciones, incluyendo *Elle, Elle International, Mademoiselle, Manhattan File, Mirabella, The New Yorker, Spur Japan, Traveler, Visionaire, Vogue* y *Vogue Hommes*. Además se ha ocupado de la sección de moda de *Libération*. Entre sus clientes empresariales se cuentan DIM, Galeries Lafayette, L'Oréal, Monoprix, Perrier Jouet, Le Printemps, Trois Suisse y La Ville de Paris.

CONTACTO (FRANCIA):
**Carole Glas, 1, rue du Louvre, París
Tel.: (33) (0)(1) 42 61 50 11
Fax: (33) (0)(1) 40 15 02 38**

CONTACTO (EE.UU.):
**Kramer + Kramer, 156 Fifth Avenue,
Nueva York, NY 10010
Tel.: (1) (212) 645 8787
Fax: (1) (212) 645 9591**

CONTACTO (JAPÓN):
**Fumie Shimoji, Jeu de Paume, Tokyo
Tel.: (81) (0)(3) 3486 0532
Fax: (81) (0)(3) 3486 0534**

AMY DAVIS

Amy Davis nació en Long Island, Nueva York, en 1968. Se graduó en ilustración en la Rhode Island School of Design en 1990. Davis ha participado en numerosas exposiciones públicas, incluyendo una exposición en la galería Holly Solomon de Nueva York en 1999. Su obra se incluyó en *From AbFab to Zen* (D.A.P., 1999). Davis vive en San Francisco, donde trabaja como ilustradora autónoma y toca en una banda de rock con su marido.

La obra de Davis ha aparecido en publicaciones estadounidenses y japonesas, incluyendo *Composite, Giant Robot, Hanatsubaki, Seventeen* y *Teen People*. Ilustra la columna mensual «Style Fiends» para la revista *Paper* e ilustró la portada de mayo de 1997. Davis ha realizado obras para Beams y para Nine West, y también ha diseñado una línea de ropa llamada Cosmic Girls.

CONTACTO:
Tel. y fax: (1) (415) 386 0731

JEAN-PHILIPPE DELHOMME

Jean-Philippe Delhomme nació en 1959 en Nanterre, Francia. Se licenció en animación por L'École Nationale des Arts Décoratifs en 1985. Delhomme empezó a trabajar como ilustrador en 1983. Su obra se ha expuesto a nivel internacional, incluyendo una exposición en la galería James Danzinger de Nueva York en 1994. Albin Michel en 1990 y Korinsha en 1994 publicaron un libro sobre su obra, *Polaroids de Jeunes Filles*. Delhomme ha diseñado carteles de cine para *Átame* de Pedro Almodóvar y *Los amigos de Peter* de Kenneth Branagh.

La obra de Delhome ha aparecido en la edición francesa de *Glamour, House & Garden, The New Yorker y Town & Country*, así como en las ediciones británica, francesa y japonesa de *Vogue*. Sus clientes empresariales incluyen Barneys New York, para quien produjo una innovadora serie de anuncios entre 1993 y 1996, y Saab, para quien dirige películas de animación.

CONTACTO:
**Phillippe Arnaud, 3, rue Valadon, 75007 París
Tel.: (33) (0)(1) 45 56 00 33
Fax: (33) (0)(1) 45 56 01 33
Correo electrónico: apa@clubinternet.fr**

MICHAEL ECONOMY

Michael Economy nació en las montañas Blue Ridge de Virginia en 1960. Empezó a dibujar antes de ir al colegio y más tarde obtuvo una beca para estudiar diseño gráfico e ilustración de moda en Atlanta. Se trasladó a Nueva York en 1981 y empezó a trabajar como ilustrador autónomo. Economy realizó su primer viaje a Japón en 1986 y regresó para quedarse a vivir allí en 1988. Su obra se expuso en la galería Parco de Japón en 1999 junto con la de Katsura Moshino. En 1999, Korinsha publicó un libro sobre la obra de Economy, *I Love ME*. Es director creativo de ropa elegante para chicas jóvenes.

La obra de Economy ha aparecido publicada en *Mademoiselle, Paper, Seventeen, Visionaire y Vogue*. Sus clientes empresariales incluyen Anna Sui, Bloomingdale's, Deee-Lite, Elektra, MTV, Nick at Nite, Screaming Mimi's, Todd Oldham y Wigstock, entre otros.

CONTACTO:
**Tel.: (1) (212) 337 9760
Fax: (1) (212) 337 9628**

JEFFREY FULVIMARI

Jeffrey Fulvimari nació en Akron, Ohio. Se graduó en Bellas Artes por la Cooper Union, Nueva York. En 1993, Fulvimari recibió encargos de *Interview* y Barneys New York que propulsaron su carrera de ilustrador. Desde entonces su obra se ha expuesto en Japón en la galería Parco en 1998 junto con la de Hiroshi Tanabe y en 1999 en la galería CWC junto con la de Keiji Ito. Fulvimari diseñó una línea de maniquís para Pucci en 1996 y en 1999 lanzó las pastillas de menta «Teary» con Mikakuto. Korinsha publicó en 1998 un libro sobre su obra, *It's OK, and Everything's Gonna Be Alright*. Fulvimari ilustró la colección «Ella Fitzgerald: The Complete Songbooks» (Verve), que ganó un premio Grammy en 1985 por la mejor carátula de CD.

La obra de Fulvimari ha aparecido en *Allure, C22 Magazine, Figaro (Japón), Glamour, Harper's Bazaar, Interview, Mademoiselle, The New York Times Magazine, Seventeen, Travel & Leisure y Visionaire*, además de en las ediciones británicas de *Elle* y *Maire Claire* y las ediciones estadounidense y española de *Vogue*. Sus clientes empresariales incluyen Asia Beat, Helmut Lang, Anna Sui, Mikakuto, MTV, Neiman Marcus, Gyuotto by Senshu-kai, Sony Music Entertainment, Tuka Phone, Hush Puppies, Parco, Afterthoughts y The Museum of Modern Art.

CONTACTO (EE.UU.):
**Fax: (1) (212) 835 0263
Correo electrónico: jfulvimar@earthlink.net
Página web: www.jeffreyfulvimari.com**

CONTACTO (JAPÓN):
**Cross World Connections (CWC), 1-6, 3F, Daikanyama-cho, Shibuya-ku, 150-003 Tokyo
Tel.: (81) (0)(3) 3496 0745
Fax: (81) (0)(3) 3496 0747
Correo electrónico: agent@cwctokyo.com
Página web: www.cwctokyo.com**

TOBIE GIDDIO

Tobie Giddio nació en 1963 en la costa de Nueva Jersey. Se graduó en ilustración por el Fashion Institute of Technology en 1986 y más tarde enseñó en el departamento de ilustración de dicho instituto. En 2000 se celebró en la galería CWC de Japón una exposición sobre su obra. Giddio vive actualmente en el centro de Nueva York, donde estudia danza de África occidental y practica yoga.

La obra de Giddio ha aparecido en *George, Glamour, Harper's Bazaar, Interview, Manhattan File, Maire Claire, Mode, The New York Times Magazine, The New Yorker, United Airlines Hemispheres* y las ediciones estadounidense y japonesa de *Vogue*. También ha ilustrado varias presentaciones de temporada para *Harper's Bazaar*. Sus clientes empresariales incluyen Ann Taylor, Bergdorf Goodman, Garnet Hill, Giorgio Armani, Philip Morris, Pucci Mannequins, Revlon y Tocca.
Página web: tobiegiddio.com

CONTACTO (EE.UU.):
CWC International Inc., 216 West 18th Street, Suite 1003, Nueva York, NY 10011
Tel.: (1) (646) 486 6586
Fax: (1) (646) 486 7622
Correo electrónico: agent@cwc-i.com
Página web: www.cwc-i.com

CONTACTO (JAPÓN):
Cross World Connections (CWC), 1-6, 3F, Daikanyama-cho, Shibuya-ku, 150-0034 Tokyo
Tel.: (81) (0)(3) 3496 0745
Fax: (81) (0)(3) 3496 0747
Correo electrónico: agent@cwctokyo.com
Página web: www.cwctokyo.com

MATS GUSTAFSON

Mats Gustafson nació en Suecia en 1951. Estudió en el Colegio Nacional de Bellas Artes de Estocolmo y se graduó por el Instituto Escandinavo del Teatro en vestuario y diseño escénico. Empezó su carrera como ilustrador en Suecia ya antes de graduarse. Su primer encargo internacional fue de *Vogue* británica en 1978, seguido por *Vogue* estadounidense y *Andy Warhol's Interview*. En 1980, Gustafson se trasladó a Nueva York, donde vive y trabaja en la actualidad. La obra de Gustafson se ha expuesto a nivel internacional. Galerie Bartsch & Chariau, de Múnich, publicó catálogos de su obra de edición limitada en 1993 y 1998.

La obra de Gustafson ha aparecido en numerosas publicaciones, incluyendo *Harper's Bazaar, The New York Times Magazine, The New Yorker, Visionaire,* la ediciones francesa y japonesa de *Vogue* y *Vogue Italia*, con quien colabora desde hace tiempo. Sus clientes empresariales incluyen Bergdorf Goodman, Galeries Lafayette, Nike y Shiseido, entre otros. Gustafson también ha colaborado con Comme des Garçons, Romeo Gigli y Yohji Yamamoto.

CONTACTO:
Art & Commerce, 755, Washington Street, New York, NY 10014
Tel.: (1) (212) 206 0737
Fax: (1) (212) 463 7267
Página web: www.artandcommerce.com

YOKO IKENO

Yoko Ikeno nació en Kanagawa, Japón, en 1969 y estudió en la Universidad de Lenguas Extranjeras de Tokyo. Se marchó de Japón en 1991 para vivir entre Europa y Estados Unidos. Ikeno empezó a realizar ilustraciones figurativas mientras vivía en Milán y trabajaba para un diseñador de moda. Más tarde empezó a trabajar como ilustradora autónoma en París. Ikeno se afincó en Brooklyn, Nueva York, en 1998, donde vive con su marido y su gato. Su obra se expuso en Gen Art de Nueva York en 1999.

Las ilustraciones de Ikeno han aparecido en *Nylon Magazine*. Entre sus clientes empresariales se cuentan el aeropuerto internacional de Denver, Harvey Nichols, Max & Co., MTV y Swissair.

CONTACTO (EE.UU.):
Art Department, 48 Greene Street, Nueva York, NY 10013
Tel.: (1) (212) 925 4222
Fax: (1) (212) 925 4422
Correo electrónico: artdept@panix.com

CONTACTO (GB):
Art Department London, 113 Canalot Studios, 222 Kensal Road, Londres W10 5BN
Tel.: (44) (020) 8968 8881
Fax: (44) (020) 8968 8801
Correo electrónico: joe@artdept-london.co.uk
Página: www.art-dept.com

KAREEM ILIYA

Kareem Iliya nació en Beirut, Líbano, en 1967. Creció en Texas y estudió diseño textil y de moda en la Universidad de Texas, en Austin. Tras graduarse prosiguió sus estudios en el Fashion Institute of Techonology de Nueva York. Mientras trabajaba como diseñador, Iliya empezó a ser autónomo como ilustrador. Uno de sus primeros encargos fue un dibujo para el escaparate navideño de Spazio Romeo Gigli en Nueva York. Iliya está afincado en el centro de Nueva York.

Las ilustraciones de Iliya han aparecido en *Interview, The New Yorker, W, Visionaire* y las ediciones japonesa y coreana de *Vogue,* entre otra publicaciones. Sus clientes empresariales incluyen Cerruti, Barneys New York, Bergdorf Goodman, Neiman Marcus, Rugiada Japan y Shiseido. Su obra fue presentada en *Shoes: A Lexicon of Stiye* (Rizzoli, 1999) y ha ilustrado la portada de *Handbabs: A Lexicon of Style* (Rizzoli, 2000) (Título en GB: *Bags,* 1999).

CONTACTO (EE.UU.):
Art Department, 48 Greene Street, Nueva York, NY 10013
Tel.: (1) (212) 925 4222
Fax: (1) (212) 925 4422
Correo electrónico: artdept@panix.com

CONTACTO (GB):
Art Department London, 113 Canalot Studios, 222 Kensal Road, Londres W10 5BN
Tel.: (44) (020) 8968 8881
Fax: (44) (020) 8968 8801
Correo electrónico: joe@artdept-london.co.uk
Página web: www.art-dept.com

CONTACTO (JAPÓN):
Cross World Connections (CWC), 1-6, 3F, Daikanyama-cho, Shibuya-ku, Tokyo
Tel.: (81) (0)(3) 3496 0745
Fax: (81) (0)(3) 3496 0747
Correo electrónico: agents@cwctokyo.com
Página web: www.cwctokyo.com

KIRAZ

Kiraz nació en El Cairo de padres armenios. Asistió a escuelas francesas en Egipto y trabajó como ilustrador allí durante tres años. En 1946 embarcó en el primer barco que se dirigía a París, donde vive ahora. Sus anuncios para Canderel han ganado premios a la mejor publicidad, mejores carteles y la votación femenina del sindicato de publicistas y *Cosmopolitan.* Kiraz es autodidacta como ilustrador y pintor. Sus cuadros se han expuesto en la galería Barlier de París. Desde 1953 se han publicado diez libros sobre las ilustraciones de Kiraz. El más reciente, *Les Parisiennes se marient* (Éditions Assouline) se publicó en 1994.

Durante treinta años, Kiraz realizó ilustraciones semanales para *Jours de France* y en la actualidad ilustra una página semanal para la revista *Gala.* Su obra ha aparecido también en *Glamour, Paris Vogue* y *Playboy.* Entre sus clientes empresariales se cuentan Nivea y Canderel.

CONTACTO:
Fax: (33) (0)(1) 42 22 14 20

ANJA KROENCKE

Anja Kroencke nació en Viena en 1968. Estudió diseño de moda e ilustración en el Colegio de Diseño Textil de dicha ciudad y se graduó en 1987. Kroencke trabajó como directora artística en una gran agencia publicitaria en Austria antes de trasladarse a Nueva York en 1994. Una vez allí, trabajó como directora de diseño. En 1997 empezó a trabajar en exclusiva como ilustradora. Recibió un Premio de Plata de la Society of Newspaper Design en 1997 por su ilustración de portada de la sección de estilo de *The New York Times.* En 1999 recibió el Premio de Plata del Creative Club Austria, dos Premios al Mérito y tres menciones especiales del Art Director's Club de Nueva York.

La obra de Kroencke ha aparecido en *Allure, Elle* alemana, *Madame Figaro,* las ediciones alemana y estadounidense de *Marie Claire, The New Yorker, The New York Times, Travel & Leisure, Wallpaper*, W* y las ediciones estadounidense y japonesa de *Vogue.* Sus clientes empresariales incluyen Ann Taylor, British Airways, Estée Lauder, Isetan, Mattel, Motorola, New York City Opera, Polygram, Le Printemps, Ritzenhoff Crystal, Simon & Shuster y Tiffani Japan.

CONTACTO (EE.UU.):
Kate Larkworthy Artist Representation, Ltd,
Tel.: (1) (212) 964 9141
Fax: (1) (212) 964 9186
Correo electrónico: kate@larkworthy.com

CONTACTO (FRANCIA):
Prima Linea, 52, boulevard Montparnasse, 75015 París
Tel.: (33) (0)(1) 53 63 23 00
Fax: (33) (0)(1) 53 63 23 01
Correo electrónico: agency@primalinea.com

CONTACTO (JAPÓN):
Taiko & Associates, 202, 4-3-26 Komaba, Meguro-ku, Tokyo 153 0041
Tel.: (81) (0)(3) 5790 2334
Fax: (81) (0)(3) 5790 2335
Correo electrónico: hi-taiko@yb3.so-net.ne.jp

JORDI LABANDA

Jordi Labanda nació en Uruguay en 1968 y se trasladó a Barcelona a los tres años de edad. Estudió diseño industrial en la Escola Massana d'Art i Disseny de Barcelona. Labanda empezó a trabajar de ilustrador en 1994.

La obra de Labanda ha aparecido en destacadas publicaciones españolas como *La Vanguardia, El País, Elle, Woman y Vogue*. Su obra también ha aparecido en *Amica, Allure, Cosmopolitan, Details, Interview, Joyce, Elle, Mademoiselle, Marie Claire, The New York Times Magazine, New York Magazine, Süddeutsche Zeitung, Visionaire y Wallpaper**. Entre los clientes empresariales de Labanda se cuentan Abercrombie & Fitch, American Express, Citibank, Covergirl, Eurostar, Geffen Records, Hard Rock Hotel & Casino, Knoll International, Microsoft, Neiman Marcus, Pepsi y Ban de Soleil. Algunas ilustraciones de Labanda han sido animadas para anuncios de televisión.

CONTACTO (EE.UU.):
**Art Department, 48 Greene Street, Nueva York, NY 10013
Tel.: (1) (212) 925 4222
Fax: (1) (212) 925 4422
Correo electrónico: artdept@panix.com**

CONTACTO (GB):
**Art Department London, 113 Canalot Studios, 222 Kensal Road, Londres W10 5BN
Tel.: (44) (020) 8968 8881
Fax: (44) (020) 8968 8801
Correo electrónico: lucy@artdept-london.co.uk
Página web: www.art-dept.com**

MAXINE LAW

Maxine Law nació en Londres en 1967. Se diplomó por la Central School of Art & Design en 1987 y se graduó y obtuvo un máster en diseño gráfico por Central St Martis. Law trabaja actualmente en la empresa de diseño Aboud Sodano en Londres. En 1996 fue nominada para el Premio Creative Future.

Sus ilustraciones han aparecido en *Flaunt, Jane, Living Etc., Esquire, George y Süddeutsche Zeitung Magazin*. Las obras empresariales de Law con Aboud Sodano incluyen a Paul Smith, entre otros clientes de venta al detalle y del mundo de la música.

CONTACTO:
**Ground floor, 193 Chapter Road, Willesden Green, Londres NW 25LJ
Tel.: (44) (020) 7734 2760 / (020(8621 7974
Fax: (44) (020) 7734 3551
Correo electrónico: maxlaw@freeuk.com**

TANYA LING

Tanya Ling nació en India y creció en África, Estados Unidos e Inglaterra. Se graduó en diseño de moda por St Martins en 1989. Tras graduarse se trasladó a París para trabajar con Christian Lacroix y Dorothée Bis. La obra de Ling se ha exhibido en exposiciones colectivas y en solitario, incluyendo *The Cover Girl Show* en la galería A22 Projects en 1998. Las obras de Ling se incluyeron en la subasta de *Pulp Fashion* de Sotheby's. Vive en Londres con su marido, marchante de arte, y sus tres hijos.

La obra de Ling ha aparecido publicada en *Elle, Frank, Harper's Bazaar, Nylon*, las ediciones británica y japonesa de *Vogue y Joyce*, para quien ilustró una portada. Además, Ling ilustró varias presentaciones de temporada para *Elle* (EE.UU.). Sus clientes empresariales incluyen Alfa Romeo, Harrods, Jil Sander y J&M Davidson.

CONTACTO:
**Bipasha Ghosh/William Ling Fine Art, 30 Gap Road, Londres SW19 8JG
Tel.: (44) (020) 8543 6731
Fax: (44) (020) 8543 2412
Correo electrónico: williamling.com**

LORENZO MATTOTTI

Lorenzo Mattotti nació en 1954 en Brescia, Italia. Se formó como arquitecto en Venecia y más tarde empezó a trabajar como ilustrador de cómics y de moda. En 1995 se celebró una exposición dedicada a su obra en Roma, en el Palazzo delle Esposizioni. Ha ilustrado numerosos libros y cómics para niños, incluyendo *Fuochi*, que ha ganado muchos premios.

La obra de Mattotti ha aparecido en campañas publicitarias y en las portadas de *Le Monde, The New Yorker, Süddeutsche Zeitung, Sourrier International, Telerama, Vanity* y *Deutsche Vogue*, entre otras publicaciones. Sus clientes empresariales incluyen Aperol, Kenzo, Le Printemps, Mairie de Paris, Renault y Veuve Cliquot.

CONTACTO:
Prima Linea, 52, boulevard Montparnasse, 75015 París
Tel.: (33) (0)(1) 53 63 23 00
Fax: (33) (0)(1) 53 63 23 01
Correo electrónico: agency@primalinea.com

PIET PARIS

Nacido en La Haya, Piet Paris vive actualmente en un canal de Amsterdam. Paris se graduó en Bellas Artes por la Academia de Bellas Artes de Arnhem, donde estudió pintura además de diseño e ilustración de moda. Paris ha celebrado varias exposiciones en solitario en Amsterdam y sus ilustraciones aparecen en *Fashion for Fat Women* (Cantecleer, 1990) y *(Hand)*bags: *A Lexicon of Style* (Rizzoli, 2000) (Título en GB: *Bags*, 1999).

La obra de Paris ha aparecido en *Cosmopolitan* holandesa, *Elle* y *Marie Claire*, además de en *American Salon, Chiq, Composite/Japan, Dutch, Hi Fashion Japan, Man Magazine* y *Russian Cult*. Además se encarga de la sección de moda del periódico *De Telegraaf*. Entre los clientes empresariales de Paris se cuentan Amici, Elektra Records, Estée Lauder, Gasunie, Gem Kingdom, Georgette Koning, MAC Cosmetics, Oilily, Peek & Cloppenburg y Studio Edelkoort.

CONTACTO (EE.UU.):
UNIT NYC, 125 Cedar Street, 2N, Nueva York, NY 10006
Tel.: (1) (212) 766 4117
Fax: (1) (212) 766 4227

CONTACTO (EUROPA):
UNIT CMA, Egelantiersstraat 143, 1015 ra Amsterdam
Tel.: (31) (0) (20) 530 6000
Fax: (31) (0) (20) 530 6001
Página web: www.unit_amsterdam.com

THIERRY PEREZ

Thierry Perez nació en 1964 en Tarbes, Francia. Estudió en L'École Supérieure d'Art Moderne. Perez empezó su carrera de ilustrador trabajando con Jean-Paul Gaultier, cuyas colecciones dibujaba. También colaboró con Azzedine Alaïa y Gienni Versace. Más recientemente ha trabajado con Pascal Humbert y Jeremy Scott. En la actualidad, Perez vive felizmente en París con su «novia Mac G3» y trabaja en cortos animados para una empresa productora.

La obra de Perez ha aparecido en *Elle, Glamour, Visionaire* y *Vogue Italia*.

CONTACTO (FRANCIA):
Michele Filomeno, 9, rue de la Paix, 75002 París
Contacto: Anne-Gael
Tel.: (33) (0)(1) 55 35 35 00
Fax: (33) (0)(1) 55 35 08 80
Correo electrónico: anne-gael@mfilomeno.com
Página web: www.mfilomeno.com

CONTACTO (EE.UU.):
Michele Filomeno USA Corp., 155 Spring Street, Nueva York, NY 10012
Tel.: (1) (212) 965 1000
Fax: (1) (212) 965 0869
Correo electrónico: rene@mfilomeno.com
Página web: www.mfilomeno.com

DEMETRIOS PSILLOS

Demetrios Psillos nació en Londres en 1957 de padres greco-chipriotas. Se graduó en moda por la Politécnica de Middlesex. Psillos trabajó con John Galiano durante tres temporadas antes de iniciar su carrera de ilustrador. Poco después se trasladó a Nueva York. Tras vivir allí cuatro años regresó a Londres, donde vive actualmente.

La obra de Psillos ha aparecido en *Vogue* británica, *Harper's Bazaar, The New Yorker, Travel & Leisure, Town & Country y Wallpaper**. Entre sus clientes empresariales se cuentan Barneys New York, Bergdorf Goodman, Bloomingdale's, Macy's, Octopus y Ritzenhoff Crystal.

CONTACTO:
17F Clerkenwell Road, Londres EC1M 5RD
Tel.: (44) (020) 7250 1344
Fax: (44) (020) 7490 1175
Móvil: (44) 77 7556 7799

GRAHAM ROUNTHWAITE

Graham Rounthwaite nació y vive en Londres. Se graduó en diseño gráfico por la Chelsea School of Art y completó un máster en ilustración en el Royal College of Art. Desde 1996 hasta 1998 Rounthwaite fue director artístico de *Trace Magazine*. Trabaja como diseñador en la revista *The Face*.

La obra de Rounthwaite ha aparecido publicada en *The Face, Details, Elle, Raygun, The Guardian y The Telegraph*. Sus clientes empresariales incluyen Levi's silverTab® (EE.UU.), Fabergé (GB), National AIDS Awareness (Francia), God's Love AIDS Charity (EE.UU.), Top Shop y Carhartt. Además ha trabajado con numerosas compañías discográficas, incluyendo Concrete and Creation Records, RCA, EMI y Virgin. Ha trabajado para editoriales como HarperCollins y Orion, así como para clientes de la televisión y vídeo, incluyendo MTV Europa, Avex GB y Partizan.

CONTACTO (EE.UU.):
Art Department, 48 Greene Street, Nueva York, NY 10013
Tel.: (1) (212) 925 4222
Fax: (1) (212) 925 4422
Correo electrónico: artdept@panix.com

CONTACTO (GB):
Art Department London, 113 Canalot Studios, 222 Kensal Road, Londres W10 5BN
Tel.: (44) (020) 8968 8881
Fax: (44) (020) 8968 8801
Correo electrónico: joe@artdept-london.co.uk
Página web: www.art-dept.com

KRISTIAN RUSSELL

Kristian Russell nació en Estocolmo en 1968 y creció entre Londres y Suecia. Completó un curso básico de arte y diseño en Brighton y estudió historia del arte y diseño en la Politécnica de Staffordshire. Russell empezó a trabajar como ilustrador en 1995. Su obra se ha expuesto en Suecia y ha publicado dos libros, uno sobre la cultura del desvarío. En 1997 Russell diseñó una serie de tablas de *snowboard* para TNT. Russell tiene su sede Estocolmo, donde está seriamente implicado en la escena musical. Es director artístico de Revolver, una productora con sede en la Royal Opera House.

La obra de Russell ha aparecido en numerosas publicaciones, incluyendo *Arena, Bibel, Dazed & Confused, Frank, George, Jane, Mademoiselle, Nylon, Scene, Spin, Sunday Telegraph y Svenska Dagbladet (City)*. También ha trabajado con clientes empresariales, como Add (n) to X, Boudicca, Coca-Cola, Diesel Sweden, Elektra, ESPN, Maharishi, RCA, Saatchi & Saatchi, Seagrams, Time Warner, Tie Rack, Tommy Boy, Vexed Generation y Warner Brother Records.
Página web: www.kristian-russell.com

CONTACTO (EE.UU.):
Art Department, 48 Greene Street, Nueva York, NY 10013
Tel.: (1) (212) 925 4222
Fax: (1) (212) 925 4422
Correo electrónico: artdept@panix.com

CONTACTO (GB):
Art Department London, 113 Canalot Studios, 222 Kensal Road, Londres W10 5BN
Tel.: (44) (020) 8968 8881
Fax: (44) (020) 8968 8801
Correo electrónico: joe@artdept-london.co.uk
Página web: www.art-dept.com

HIROSHI TANABE

Hiroshi Tanabe nació en Kanagwa, Japón, en 1967. Se graduó por el Tama Art College en diseño gráfico y más tarde estudió bellas artes y escultura en la Accademia di Brera, en Milán. Tanabe fue galardonado con el premio Cecil Beaton de ilustración de moda de *Vogue* británica/Sotheby's en 1994. La obra de Tanabe se ha expuesto a nivel internacional. En 1998 realizó una exposición en la galería Parco de Japón junto con Jeffrey Fulvimari. Korinsha publicó en 1998 un libro sobre su obra, *Blue Mode* y ganó una medalla de oro en ilustración y diseño del Art Director's Club en 1999. En 1997 Tanabe diseñó una línea de maniquís para Pucci International. Tanabe vive entre Japón y el centro de Nueva York.

Tanabe trabaja regularmente para varias publicaciones japonesas. Su obra ha aparecido también en *Arena*, las ediciones británica y japonesa de Vogue, *Harper's Bazaar, Mari Claire* alemana, *New York Magazine, The New York Times, The New Yorker, Rolling Stone, Visionaire* y *Wallpaper**. Sus clientes empresariales incluyen Ann Taylor, Anna Sui, Barneys New York, Elektra Records, HBO, Redken y Shiseido.

CONTACTO (EE.UU.):
**Kate Larkworthy Artist Representation, Ltd,
17 Park Place, 2, Nueva York, NY 10038
Tel.: (1) (212) 964 9141
Fax: (1) (212) 964 9186
Correo electrónico: kate@larkworthy.com**

CONTACTO (JAPÓN):
**A.K.A. Management, 4-23-14, 6th Floor, Ebisu,
Shibuya-ku, Tokyo, 150-0013
Tel.: (0)(3) 5423 0033
Fax: (0)(3) 5423 0036**

RUBEN TOLEDO

Ruben Toledo nació en Cuba en 1961. Estudió en la School of Visual Arts de Nueva York. En 1984 se casó con Isabel, una diseñadora, con quien trabaja en el centro de Nueva York. Toledo pinta, esculpe y diseña espectáculos visuales, murales y producciones teatrales, además de trabajar como ilustrador. Ha diseñado dieciséis líneas de maniquís. La obra de Toledo se ha exhibido en numerosas exposiciones colectivas y en solitario en galerías y museos de todo el mundo, incluyendo el Louvre y el Metropolitan Museum of Art. Su arte y su colaboración con Isabel se presenta en *Toledo/Toledo: A Marriage of Fashion and Art* (Korinsha, 1997). Toledo ha ilustrado también numerosos catálogos y en 1996 publicó un libro suyo, *The Style Dictionary* (Abbeville), al que ha seguido *Toledo's New York Scrapbook*, publicado por Louis Vuitton en 1998.

La obra de Toledo ha aparecido en muchas publicaciones, incluyendo *Harper's Bazaar, Interview, L'Uomo Vogue, Details, Paper, Town and Country, Visonaire* y las ediciones estadounidense y alemana de *Vogue*. Entre los clientes empresariales de Toledo se cuentan Barneys New York, Bergdorf Goodman, Ian Schrager Hotels, Louis Vuitton, Sak Fifth Avenue, Seibu Department Store y VH1.

CONTACTO:
Tel.: (1) (212) 685 1578

Ed. TSUWAKI

Ed. Tsuwaki nació en 1966 en Hiroshima. Artista autodidacta, Tsuwaki se trasladó a Tokyo tras graduarse en el instituto, donde trabajó como tipógrafo y director artístico. Siendo también pintor, trabajó en decorados de cine y vivió de sus cuadros y sesiones de pintura corporal con música. Su primera exposición de cuadros se celebró en 1994. La experimentación de Tsuwaki en el terreno de la pintura lo ha conducido a su actual método de trabajar con el ordenador y su carrera como ilustrador.

La obra de Twuwaki ha aparecido en *Citizen K International, Vogue Nippon y Wallpaper**. Entre sus clientes empresariales se cuentan Angel & Blue, Anna Sui, Keita Maruyama y Omega.

CONTACTO (JAPÓN):
**Hiruta Management Office, Tokyo
Tel.: (81) (0)(3) 5405 9486
Fax: (81) (0)(3) 5405 9487
Correo electrónico: c_hiruta@msn.com**

CONTACTO (EE.UU.):
**Art Department, 48 Greene Street, Nueva York,
NY 10013
Tel.: (1) (212) 925 4222
Fax: (1) (212) 925 4422
Correo electrónico: artdept@panix.com**

CONTACTO (GB):
**Art Department London, 113 Canalot Studios,
222 Kensal Road, Londres W10 5BN
Tel.: (44) (020) 8968 8881
Fax: (44) (020) 8968 8801
Correo electrónico: joe@artdept-london.co.uk
Página web: www.art-dept.com**

MAURICE VELLEKOOP

Maurice Vellekoop nació en Toronto y ahora vive en Toronto Island con su gato. Vellekoop asistió al Ontario College of Art y se graduó en 1986. A continuación se unió a la agencia Reactor y empezó su carrera como ilustrador. Se han publicado dos libros sobre su obra, *Maurice Vellekoop's ABC Book* (Gates of Heck, 1998) y *Vellevision* (Drawn & Quarterly, 1998). Entre los libros que ha ilustrado está *Sex Tips from a Dominatrix* (Regan Books, 1999).

La obra de Vellekoop ha aparecido en *Cosmopolitan, GQ, Mademoiselle, Männer Vogue, The New York Times Magazine* y *Wallpaper**. Ilustra una columna mensual en *Vogue*. Entres sus clientes empresariales están Abercrombie & Fitch, Air Canada, Bush Irish Whiskey UK y Swissair.

CONTACTO:
Reactor, 51 Camden Street, Toronto, Ontario, M5V 1V2
Tel.: (1) (416) 703 1913
Fax: (1) (416) 703 6556
Correo electrónico: isousa@reactor.ca
Página web: www.reactor.ca

LISELOTTE WATKINS

Liselotte Watkins nació en Suecia en 1971. Estudió publicidad e ilustración en el Art Institute de Dallas y regresó a Suecia después de graduarse. En 1994 fue a Nueva York alargando las vacaciones e inmediatamente le salió un encargo semanal para Barneys New York, que duró dos años. Tras vivir en Nueva York varios años, regresó a Estocolmo.

La obra editorial de Watkins ha aparecido en *Bibel, Elle, Frank, GQ* (Australia), *Marie Claire, The New York Times, Self, Travel & Leisure, Wallpaper** y *Vogue,* así como en portadas de la revista *Amica.* Sus clientes empresariales incluyen American Movie Classics, Anna Sui, Barneys New York, Gery Advertising, MTV, Oglivy & Mather, Screaming Mimi's, Simon & Shuster, Sony, Target y Victoria' Secret.

CONTACTO (EE.UU.):
UNIT NYC, 125 Cedar Street, 2N, Nueva York, NY 10006
Tel.: (1) (212) 766 4117
Fax: (1) (212) 766 4227

CONTACTO (EUROPA):
UNIT CMA, Egelantiersstraat 143, 1015 ra Amsterdam
Tel.: (31) (0) (20) 530 6000
Fax: (31) (0) (20) 530 6001
Página web: www.unit_amsterdam.com

AGRADECIMIENTOS

La autora extiende su más sincero agradecimiento a las siguientes personas:

ARTISTAS
Ruben Alterio, Robert Clyde Anderson, François Berthoud, Jason Brooks, Amy Davis, Jean-Philippe Delhomme, Carlotta, Michael Economy, Jeffrey Fulvimari, Tobie Giddio, Mats Gustafson, Yoko Ikeno, Kareem Iliya, Kiraz, Anja Kroencke, Jordi Labanda, Maxine Law, Tanya Ling, Lorenzo Mattotti, Piet Paris, Thierry Perez, Demetrios Psillos, Graham Rounthwaite, Kristian Russell, Hiroshi Tanabe, Ruben Toledo, Ed. Tsuwaki, Maurice Vellekoop, Liselotte Watkins.

AGENTES Y PUBLICACIONES
Sylvie Flaure del 2e Bureau, Heloise Goodman de Art & Commerce, Lucy Bone, Marty Byrd, Stephanie Pesakoff y Taisa Skulsky de Art Department, Christine Carter, Adamo DiGregorio y Amy Raiter de Barneys New York, Joelle Chariau de Bartsch & Chariau, William Ling de Bipasha Ghosh/William Ling Fine Art, Caroline Stone y Junko Wong de CWC International, Hiruta Chie de Hiruta Management, Julie Hughes de *Joyce* (Hong Kong), Rocco Bonavita, Claribel Corona y Kate Larkworthy de Kate Larkworthy Artist Representation, Gay Feldman y Jay Sternberg de Kramer & Kramer, Albert de *Manhattan File*, Scott Ashwell de Paper, Donald Schneider de *Paris Vogue*, Valerie Busenaro de Philippe Arnaud, Bruno Semerarot de PMI, Valerie Schermann y Velérie Lagriffoul de Prima Linea, Isabel Sousa de Reactor Art & Desing, KK Davis y John Kiladis de TWBa Chiat Day, Jasper Bode y Tim Groen de Unit CMA, Richard Spenser Powell de *Wallpaper**, Thierry Kaufmann y Srenica Morisot de Yannick Morisot.

COLEGAS, AMIGOS Y PARIENTES
Igor Astrologo, Anne Barlow, Hedwige Caldairou, Susan Cianciolo, Marlene Gamage, Ronnie Davidson-Houston, Helen Farr, Tara Ferri, Dean Kaufman, Tiggy Maconachie, Rina Mattotti, Olivier North, Anna Perotti, Luca Pizzaroni, Miyuki Morimoto, John Sahag, Don Sipley, Valerie Steele, Isabel Toledo, Kirsten Ulve, Michael Washburn y especialmente al señor y la señora Matthew Borrelli, M. Carter Borrelli, el señor y la señora Donald B. Himes, Johanna Neurath, Niki Medlik y Jamie Maplin.